Blanche Vergne

50 Menus en 30 minutes

FRANCE LOISIRS

123, boulevard de Grenelle, Paris

50 Menus
en
30 minutes

Blanche Vergne

Remerciements :

Porcelaines Lafarge - 17 bis, rue du Paradis, 75010 Paris.
La Desserte - 57, rue du Commerce, 75015 Paris.
Faïencerie Le Pöet-Laval - 26160 La Bégude-de-Mazenc.
Étienne Boyer.

Édition du Club France Loisirs, Paris,
avec l'autorisation des Éditions Solar

© 1994, Éditions Solar

Photos : Nicolas Leser
Stylisme : Ulrike Skadow

Photocomposition : PFC
Photogravure : Chrom'Arts Graphi

ISBN : 2-7242-8417-8
Numéro d'editeur : 33190

Dépôt légal : Mai 1995

Sommaire

Avant-propos

Recevoir, c'est facile...

Un peu d'organisation,
un peu de temps
et beaucoup de convivialité,
voilà les ingrédients
d'une réception réussie.

Un peu d'organisation, car il faut penser votre réception à l'avance, ne serait-ce que pour pouvoir demander aux commerçants – poissonnier, volailler, boucher, etc. – de vous préparer les aliments de telle sorte que vous n'ayez plus qu'à les utiliser. Ainsi, la viande sera émincée par votre boucher, les filets de poissons levés par votre poissonnier, le poulet découpé par le volailler, les rognons parés par le tripier, etc.

Tous ces professionnels ne feront aucune objection pour vous préparer vos achats, à condition que vous le demandiez avec le sourire et que vous évitiez les heures de pointe.

Un peu de temps également, car, pour préparer un menu complet, on peut difficilement faire moins que d'y consacrer une trentaine de minutes. Si vous n'avez pas une demi-heure de temps libre, ne recevez pas ou bien achetez votre repas chez un traiteur...

L'ordonnancement du repas est également très important ; pour certains menus préparés dans cet ouvrage, ne soyez pas surpris de devoir commencer par confectionner le dessert ! Celui-ci aura ainsi le temps de « prendre » pendant que vous préparerez le reste du repas. Pour économiser un temps précieux, il faut, chaque fois que la recette s'y prête, couper la viande ou les légumes le plus finement possible ; de cette façon, ils cuiront beaucoup plus rapidement.

De la convivialité enfin, et un souci du petit détail qui fait plaisir : soignez la décoration de la table, choisissez une jolie vaisselle, prévoyez quelques fleurs...

L'essentiel reste toutefois que vous soyez souriante et détendue, disponible pour vos invités, et cela n'est possible que si vous êtes fin prête quand ils arrivent...

Les ingrédients de base

- Sel, poivre en grains, huiles diverses (tournesol ou arachide, olive, éventuellement huile de noix ou de noisette), au moins deux sortes de vinaigre (de vin ou de cidre, et de xérès ou balsamique).
- Farine de blé, Maïzena, sucre en morceaux et sucre en poudre, miel et confitures.
- Épices : curry, paprika, cumin, noix muscade, cannelle, piment, etc.
- Herbes séchées : thym, laurier, coriandre, romarin, etc.
- Condiments : concentré de tomate, cornichons, olives, moutarde, etc.
- Beurre, œufs, crème fraîche, fromage blanc, lait, yaourts, différentes sortes de fromages, etc.
- Ail, échalotes, oignons, etc.

Avant-propos

Les ustensiles qui font gagner du temps

Le petit équipement

- *Robot électrique :* c'est la pièce maîtresse de la cuisine rapide ; il doit savoir tout faire : hacher, râper, pétrir, émulsionner... Il vous fera gagner un temps considérable.
- *Couteau électrique :* idéal pour découper un rôti ou un gigot.
- *Tranchoir électrique :* pour le jambon, le fromage, le saucisson sec, la viande crue, les légumes à couper en fines tranches, le parmesan, etc.
- *Toasteur :* il grille en un rien de temps toutes sortes de pains ou de brioches (choisissez-en un qui ne se limite pas au pain de mie). Il doit comporter une minuterie et un système d'éjection automatique.
- *Presse-agrumes ou centrifugeuse :* l'utilisation du presse-agrumes est un peu limitée, alors que la centrifugeuse permet d'extraire le jus de tous les fruits, même de ceux qui sont relativement fermes – pommes, poires, melon, par exemple –, et de tous les légumes après les avoir pelés, lavés et coupés en morceaux. Ces légumes peuvent être crus, tels le céleri-branche, la tomate, la carotte ou la betterave, ou bien avoir été préalablement « blanchis » dans l'eau bouillante, puis refroidis, comme les épinards, le chou ou le céleri-rave.

- *Autocuiseur :* choisissez-le de préférence muni d'un thermostat ; ainsi, vous pourrez différer la mise en route de l'appareil.

Le gros équipement

Il s'agit essentiellement du *four à micro-ondes*, bien sûr ! Ses fonctions principales sont de décongeler en un temps record et de réchauffer les plats préparés à l'avance. Mais vous pouvez l'utiliser de façon beaucoup plus inhabituelle pour ouvrir les huîtres, sécher les pétales de fleurs d'un pot-pourri, stériliser des pots de confitures, etc.

C'est un investissement relativement important, qui justifie que vous preniez le temps de le choisir soigneusement. Si vous n'avez pas encore de four à micro-ondes, achetez un modèle suffisamment puissant (500 watts au minimum) et équipé d'un système de minutage assez précis (affichage électronique). Faites en même temps l'acquisition d'un plat brunisseur, qui vous permettra de saisir et de dorer les aliments, donc de les rendre plus appétissants. C'est, en effet, le principal reproche adressé aux modèles ordinaires ; un poulet bien doré et « croustillant » à souhait éveille évidemment les papilles plus sûrement qu'une volaille certes cuite, mais blanche, donc moins présentable devant vos convives...

Les boissons

Quand vous recevez, vous pouvez ouvrir votre bar à vos invités s'il est bien fourni et les laisser faire leur choix, ou bien leur proposer un cocktail unique alcoolisé (punch, sangria, blue lagoon, etc.) ou non (cocktail de jus de fruits).

Certains préfèrent du champagne dès l'apéritif, d'autres apprécient un verre de vin blanc léger et fruité, qui les mettra en appétit. Accompagnez ces boissons d'olives, de pistaches et autres arachides, de tranches de saucisson ou de petits cubes de gruyère, bref de ces petites choses que l'on grignote facilement et sans façon...

Ayez toujours chez vous des verres de différentes sortes (coupes ou flûtes pour le champagne, verres à porto, verres à whisky, verres à orangeade...), un shaker – si possible en métal car il conserve mieux la boisson au frais –, un bon tire-bouchon, des pailles, des bâtonnets en bois (type cure-dents), des serviettes en papier... et, bien sûr, des glaçons au congélateur. N'oubliez pas non plus l'eau gazeuse et l'eau plate au frais dans votre réfrigérateur : elles seront appréciées au cours du repas, à côté du vin de service.

Menu en famille

Salade parisienne

Pour 4 personnes :
1 petite boîte de maïs

*1 belle tranche épaisse
de jambon à l'os*

50 g de gruyère

2 tomates

2 œufs

4 belles feuilles de laitue

Pour la vinaigrette :
1 cuillerée à café de moutarde

1 cuillerée à soupe de vinaigre

4 cuillerées à soupe d'huile

*2 cuillerées à soupe de persil
haché (ou un mélange de
ciboulette et d'estragon)*

sel, poivre

Préparation et cuisson : 10 mn

1. Faites durcir les œufs à l'eau bouillante pendant 8 minutes.

2. Ouvrez la boîte de maïs. Rincez les grains à l'eau fraîche et égouttez-les dans une passoire.

3. Plongez rapidement les tomates dans de l'eau bouillante. Pelez-les, ouvrez-les en deux, épépinez-les et détaillez-les en morceaux. Coupez le gruyère en petits dés et le jambon en lanières ou en cubes si la tranche est suffisamment épaisse.

4. Préparez la vinaigrette : dans un saladier, mélangez la moutarde et le vinaigre ; salez, poivrez et émulsionnez avec l'huile. Ajoutez le persil haché et émulsionnez de nouveau.

5. Rafraîchissez les œufs durs sous l'eau froide et écalez-les. Coupez-les en quartiers.

6. Versez le maïs, les tomates, le gruyère et le jambon dans le saladier et mélangez bien pour répartir la vinaigrette de façon homogène.

7. Disposez les feuilles de laitue sur les assiettes, garnissez-les de la salade au maïs et décorez avec les quartiers d'œufs durs.

Hot-dogs

Pour 4 personnes :
4 petits pains

4 saucisses de Francfort

*2 cuillerées à café
de moutarde de Dijon*

100 g de gruyère râpé

Préparation et cuisson : 10 mn.

1. Allumez le four à th. 7. Faites bouillir de l'eau et mettez-y à cuire les saucisses pendant 4 minutes.

2. Ouvrez les petits pains en deux dans le sens de la longueur sans séparer les deux côtés. Enduisez l'intérieur de moutarde. Égouttez les saucisses et séchez-les sur du papier absorbant. Mettez-les dans chaque petit pain, recouvrez de gruyère râpé et refermez.

3. Placez les hot-dogs dans un plat allant au four, puis enfournez pour 3 à 4 minutes.

Notre conseil
Les enfants apprécient beaucoup les hot-dogs, mais ils préféreront peut-être que vous remplaciez la moutarde par du ketchup.

Poires aux petits-suisses

Pour 4 personnes :
2 poires

6 petits-suisses

*2 cuillerées à soupe
de sucre en poudre*

Préparation : 6 mn.

1. Battez au fouet les petits-suisses avec le sucre en poudre.

2. Coupez les poires en quatre, épluchez-les, ôtez le cœur et les pépins. Écrasez-les à la fourchette et ajoutez cette purée aux petits-suisses.

3. Battez au fouet, puis versez cette crème dans des ramequins individuels ; placez-les au réfrigérateur jusqu'au moment de servir.

Notre conseil
Tous les fruits juteux (pêches, abricots, fraises...) conviennent également pour cette recette.
Mais vous pouvez aussi essayer avec 2 bananes écrasées que vous aspergerez de jus de citron pour éviter qu'elles ne noircissent.

Radis roses
à la crème

Pour 4 personnes :
1 belle botte de radis
1/2 jus de citron
1 cuillerée à soupe *de crème fraîche*
1 branche d'aneth ou de céleri
Sel, poivre

Préparation : 10 mn.

1. Nettoyez, lavez et essuyez les radis, puis coupez-les en petites rondelles.

2. Battez énergiquement le jus du demi-citron avec la crème fraîche, du sel et du poivre. Ajoutez cette sauce aux rondelles de radis, mélangez et laissez mariner environ un quart d'heure.

3. Au moment de servir, parsemez d'aneth ou de céleri ciselé.

Foie de veau
aux carottes

Pour 4 personnes :
4 tranches de foie de veau
4 carottes nouvelles
30 g de beurre demi-sel
1 cuillerée à café de vinaigre *balsamique ou de xérès*
Sel, poivre

Préparation et cuisson : 12 mn.

1. Grattez les carottes, lavez-les, essuyez-les et râpez-les.

2. Dans une grande poêle, faites fondre le beurre et jetez-y les carottes râpées ; couvrez et laissez cuire à feu doux pendant 5 minutes. Ajoutez alors le foie de veau et laissez cuire doucement 3 ou 4 minutes sur chaque face, selon vos goûts.

3. Posez les tranches de foie de veau sur un plat de service préchauffé et entourez-les des carottes fondues. Déglacez la poêle avec le vinaigre, laissez réduire de moitié, puis versez le jus sur les tranches de foie ; salez et poivrez au dernier moment.

Fromage blanc
aux framboises

Pour 4 personnes :
500 g de fromage blanc lisse
6 cuillerées à soupe de sucre glace
1 œuf
1 pincée de sel
200 g de framboises fraîches
100 g de coulis de framboise *surgelé*

Préparation : 8 mn.

1. Faites décongeler le coulis de framboise à température ambiante ou plongez le sachet dans de l'eau tiède. Passez-le au chinois pour éliminer les graines, en pressant légèrement afin de récupérer tout le jus.

2. Cassez l'œuf en séparant le blanc du jaune. Battez le blanc en neige avec la pincée de sel et 1 cuillerée à soupe de sucre glace. La neige ne doit pas être trop ferme.

3. Dans une terrine, mettez le fromage blanc avec le reste du sucre glace et le jaune d'œuf, puis battez jusqu'à obtention d'une crème mousseuse. Incorporez délicatement le blanc en neige et mélangez avec une spatule en bois.

4. Versez la préparation dans des ramequins individuels et placez aussitôt dans la partie la plus froide de votre réfrigérateur.

5. Au moment de servir, répartissez le jus de framboise dans des assiettes à dessert, démoulez les ramequins dessus et garnissez de framboises fraîches.

Notre conseil
Vous pouvez remplacer le blanc d'œuf en neige par de la crème fleurette montée en chantilly : c'est encore plus onctueux. Dans ce cas, toutefois, il est inutile d'ajouter le jaune d'œuf au fromage blanc.

Menu en famille

Avocat au thon

Pour 4 personnes :
2 gros avocats
1 boîte de miettes de thon
Le jus de 1 citron
3 cuillerées à soupe de mayonnaise
2 cuillerées à soupe de crème fraîche
Sel, poivre

Préparation : 10 mn.

1. Coupez les avocats en deux et ôtez les noyaux. Évidez-les à l'aide d'une cuillère à soupe, conservez la peau et citronnez le tout avec la moitié du jus de citron. Écrasez la chair des avocats à la fourchette ou coupez-la en petits dés ; ajoutez le reste du jus de citron. Égouttez les miettes de thon et mélangez-les à la pulpe d'avocat.

2. Battez ensemble la mayonnaise, la crème fraîche, le sel et le poivre. Versez cette sauce sur la préparation, mélangez soigneusement l'ensemble et remplissez-en les peaux d'avocats.

Notre conseil
Vous pouvez ajouter à la mayonnaise 1 cuillerée à café de ketchup, qui lui donnera un goût particulier et une jolie couleur rosée.

Omelette de la mère Poulard

Pour 4 personnes :
8 œufs
50 g de beurre demi-sel
Poivre

Préparation et cuisson : 10 mn.

1. Battez légèrement les œufs dans une terrine et poivrez légèrement. Faites fondre doucement le beurre dans une poêle à revêtement anti-adhésif ; versez-y les œufs en remuant doucement à l'aide d'une spatule. Lorsque l'omelette est prise mais encore molle, roulez-la sur elle-même et servez-la avec une salade verte assaisonnée.

Notre conseil
On peut également séparer les blancs des jaunes d'œufs, puis battre les premiers en neige légère et fouetter les seconds pour qu'ils soient mousseux avant de les réunir à nouveau. L'omelette obtenue est alors plus « aérienne », ce qui change de la consistance habituelle.

Bananes flambées au rhum

Pour 4 personnes :
4 belles bananes pas trop mûres
2 cuillerées à café de jus de citron
1 œuf
1 cuillerée à soupe de sucre
20 g de beurre
1 petit verre à liqueur de rhum
2 gouttes de vanille liquide ou 1/2 cuillerée à café de poudre de vanille

Préparation et cuisson : 10 mn.

1. Battez l'œuf entier avec 1 cuillerée à café d'eau. Ajoutez la vanille et fouettez encore quelques instants.

2. Pelez les bananes et coupez-les en fines rondelles ; citronnez-les.

3. Faites fondre le beurre dans une grande poêle ; ajoutez-y le sucre puis les rondelles de banane, afin qu'elles caramélisent très légèrement. Retournez-les délicatement avec une fourchette, puis versez l'omelette. Laissez cuire tout doucement.

4. Lorsque les rondelles de banane sont légèrement dorées, éteignez le feu. Versez le rhum et faites flamber en remuant la poêle pour répartir le liquide. Servez immédiatement.

Tomates farcies au fromage blanc

Pour 4 personnes :

4 belles tomates bien mûres
200 g de fromage blanc battu
50 g de roquefort
2 petites branches de cœur de céleri
1 cuillerée à café de moutarde
2 branches de persil plat
Sel, poivre

Préparation : 10 mn.

1. Mixez le fromage blanc, le roquefort, le céleri coupé en morceaux, la moutarde, le sel et le poivre.

2. Évidez les tomates et conservez leur chapeau ; emplissez-les du mélange, couvrez avec le chapeau, et répartissez tout autour le persil ciselé.

Notre conseil

Si vous voulez « enrichir » cette entrée, ajoutez des crevettes roses décortiquées et coupées en petites rondelles dans le mélange juste avant d'en emplir les tomates évidées.

Filets de saint-pierre à la crème fraîche et au fenouil

Pour 4 personnes :

500 g de filets de saint-pierre (ou d'un autre poisson à chair ferme)
1 bulbe de fenouil
2 cuillerées à soupe d'huile
200 g de crème fraîche
1 citron
1 pincée de noix muscade fraîchement râpée
50 g de beurre
Sel, poivre

Préparation et cuisson : 12 mn.

1. Salez et poivrez les filets de saint-pierre. Pressez ensuite le jus du citron.

2. Faites fondre le beurre dans une grande poêle sur feu moyen ; mettez-y à cuire les filets de saint-pierre pendant 4 à 5 minutes. Couvrez et éteignez le feu : les filets vont continuer à cuire « à l'étouffée ».

3. Pendant ce temps, lavez le bulbe de fenouil, ôtez-en les feuilles extérieures et coupez-le en gros morceaux. Émincez le fenouil à l'aide d'un robot à râpe. Mettez-le dans un saladier avec l'huile et le jus de citron moins 2 cuillerées à soupe que vous réservez. Salez, poivrez et placez au frais.

4. Dans un petite casserole, faites chauffer la crème fraîche sur feu doux, ajoutez-y les feuilles de fenouil ciselées, la noix muscade et les 2 cuillerées à soupe de jus de citron mises en réserve. Mélangez bien le tout.

5. Répartissez les filets de saint-pierre sur des assiettes préalablement chauffées et nappez-les de la crème. Servez avec la salade de fenouil bien fraîche ; le mélange chaud-froid est délicieux.

Notre conseil

Le carrelet est un poisson à chair très délicate, qui convient également parfaitement pour cette recette ; il a l'avantage d'être nettement moins cher.

Soupe de fraises à la menthe

Pour 4 personnes :

1 kg de fraises bien mûres
1 cuillerée à soupe de miel d'acacia
1 cuillerée à café de jus de citron
4 feuilles de menthe

Préparation : 8 mn.

1. Nettoyez les fraises à l'eau fraîche et équeutez-les. Placez-les dans le bol d'un mixer et réduisez-les en purée.

2. Mélangez la pulpe de fraise au miel et au jus de citron ; versez dans des coupelles individuelles et décorez avec les feuilles de menthe.
Placez au réfrigérateur jusqu'au moment de servir.

Menu en famille

Salade d'endive à l'orange

Pour 4 personnes :
4 belles endives
2 oranges
Quelques cerneaux de noix
Quelques branches de civette
3 cuillerées à soupe d'huile d'olive
1/2 jus de citron
Sel, poivre

Préparation : 5 mn.

1. Mélangez l'huile d'olive, le jus de citron, le sel et le poivre. Pelez les oranges et ôtez soigneusement toutes les parties blanches. Séparez les quartiers et mettez-les à macérer dans la sauce.

2. Nettoyez les endives et ôtez-en le cône amer ; essuyez-les soigneusement, coupez-les en tronçons et mélangez-les avec les oranges. Mettez le plat au frais. Au moment de servir, répartissez les cerneaux de noix et la civette ciselée.

Notre conseil
A la saison des « Maltaises » (de la mi-février à la fin mars dans nos régions), cette salade sera encore meilleure, la saveur acidulée de ces oranges rehaussant celle de la préparation.

Dos de merlu aux moules

Pour 4 personnes :
1 dos de merlu coupé en 4 beaux morceaux (ou 4 belles darnes de colin)
0,5 l de moules de bouchot
1 verre de vin blanc
50 g de beurre
1 oignon
3 cuillerées à soupe de persil haché
Sel, poivre

Préparation et cuisson : 15 mn.

1. Grattez et nettoyez les moules ; rincez-les plusieurs fois à l'eau claire. Pelez et coupez l'oignon en rondelles.

2. Faites fondre le beurre dans une grande sauteuse et jetez-y les rondelles d'oignon ; lorsqu'elles sont juste transparentes, ajoutez les morceaux de poisson. Retournez-les au bout de 1 minute, puis mouillez avec le vin blanc. Salez, poivrez, puis versez les moules. Parsemez de persil haché, remuez bien le tout, couvrez et laissez cuire pendant 6 minutes, jusqu'à ce que les moules soient toutes ouvertes.

3. Répartissez les moules dans des assiettes préalablement chauffées, disposez dans chacune un morceau de poisson et nappez d'un peu de jus de cuisson. Servez aussitôt.

Cerises au sirop à la crème anglaise

Pour 4 personnes :
400 g de cerises
100 g de sucre
0,5 l de lait
3 jaunes d'œufs
1 cuillerée à café d'extrait de vanille

Préparation et cuisson : 10 mn.

1. Lavez et équeutez les cerises. Dans une grande casserole, portez à ébullition 1 dl d'eau avec la moitié du sucre. Lorsque le liquide forme un sirop léger, jetez-y les cerises et remuez bien pour qu'elles soient bien enrobées. Éteignez le feu et couvrez la casserole : les cerises vont rendre un peu de jus.

2. Portez le lait à ébullition dans une grande casserole ; ajoutez l'extrait de vanille. Battez les jaunes d'œufs et le sucre restant jusqu'à ce que le mélange blanchisse. Versez le lait bouillant sur les œufs et fouettez l'ensemble énergiquement. Replacez le mélange dans la casserole et remettez sur le feu. Continuez de battre jusqu'à ce que le mélange épaississe et nappe la cuillère. Laissez refroidir jusqu'au moment de servir.

3. Versez les cerises dans des coupelles individuelles et nappez-les de crème anglaise.

Notre conseil
On trouve dans le commerce de la crème anglaise toute prête, ce qui permet de gagner du temps.

Menu en famille

Crottins chauds

Pour 4 personnes :
4 belles feuilles de laitue

4 crottins de Chavignol

4 beaux choux non sucrés achetés chez votre boulanger (à défaut, 8 tranches de pain de campagne)

Préparation et cuisson : 10 mn.

1. Coupez les crottins en deux dans le sens horizontal. Faites de même avec les choux.

2. Chauffez le gril du four, th. 6 ; faites fondre très légèrement les demi-crottins et fourrez-en les demi-choux. Replacez quelques instants sous le gril du four, le temps de faire tiédir la pâte.

3. Répartissez les feuilles de laitue sur de grandes assiettes, posez dessus 2 demi-choux par personne et servez aussitôt.

Notre conseil
Si vous utilisez des tranches de pain de campagne à la place des choux, faites-les griller légèrement avant d'y poser les demi-crottins de Chavignol juste fondants.

Colin au naturel

Pour 4 personnes :
4 belles darnes de colin

50 g de beurre

1 citron

8 branches de persil

8 pommes de terre moyennes à chair ferme (BF15)

Sel, poivre

Préparation et cuisson : 12 mn.

1. Pelez les pommes de terre, lavez-les et coupez-les en quatre. Faites-les cuire à l'eau bouillante salée ou, mieux, à la vapeur.

2. Faites fondre le beurre dans une grande poêle et mettez-y à cuire les darnes de colin pendant 3 minutes. Retournez-les sur l'autre face et laissez cuire à nouveau 3 minutes.

3. Pressez le jus du citron. Lavez, séchez et hachez très finement le persil.

4. Préchauffez 4 assiettes et une saucière ; faites glisser sur chacune d'elles une darne de colin. Maintenez-les au chaud, four éteint.

5. Préparez la sauce meunière : clarifiez le beurre de cuisson en le tamponnant en surface avec du papier absorbant ou en le filtrant pour le débarrasser de toutes ses impuretés. Ajoutez-y le jus de citron, réchauffez rapidement, ajoutez la moitié du persil et versez dans la saucière.

6. Sortez les assiettes du four, disposez 2 pommes de terre de part et d'autre du colin, parsemez du reste du persil et servez avec la sauce meunière.

Fraises à la chantilly

Pour 4 personnes :
800 g de fraises bien mûres

4 cuillerées à soupe de crème fraîche liquide

2 cuillerées à soupe de sucre glace

Préparation : 8 mn.

1. Nettoyez les fraises à l'eau fraîche et équeutez-les ; répartissez-les dans des coupes individuelles après avoir, au besoin, coupé les plus grosses en deux ou en quatre.

2. Battez énergiquement la crème fraîche bien froide en ajoutant très progressivement le sucre glace. Lorsque la chantilly est ferme, emplissez-en une poche à douille cannelée et dessinez des volutes sur les fraises.

Notre conseil
Vous pouvez préparer de la même manière tous les fruits rouges (framboises, fraises des bois, etc.), mais aussi un mélange de fruits de saison.

Salade de chou, carotte et betterave

Pour 4 personnes :
1 cœur de petit chou vert
2 belles carottes nouvelles
1/4 de betterave crue
4 petits oignons nouveaux
2 cuillerées à soupe de persil plat haché ou ciselé
2 cuillerées à soupe de feuilles de céleri grossièrement ciselées

Pour la vinaigrette :
2 cuillerées à soupe d'huile de noix ou de noisette
2 cuillerées à soupe d'huile de tournesol
1 cuillerée à soupe de vinaigre de cidre ou de vin
Sel, poivre

Préparation : 10 mn.

1. Effeuillez et lavez le chou. Pelez et lavez les carottes ; coupez-les en rondelles. Pelez la betterave crue avec un couteau économe et coupez-la en petits morceaux. Pelez les oignons, mais conservez la tige verte. Placez tous les légumes dans le bol d'un robot et émincez-les très finement.

2. Préparez la vinaigrette : émulsionnez les huiles avec le vinaigre ; salez, poivrez et versez cette sauce dans un grand saladier.

3. Versez les crudités émincées dans le saladier et mélangez longuement pour que tous les goûts se mêlent et que les légumes soient bien imprégnés de sauce.

4. Au moment de servir, parsemez de persil et de céleri.

Notre conseil
Des graines de sésame juste grillées donneront à cette salade un petit air de fête.

Veau à la duchesse

Pour 4 personnes :
4 escalopes de veau
1 petit verre à liqueur de vin blanc sec
1 cuillerée à café de moutarde
1 cuillerée à soupe de crème fraîche
1 cuillerée à soupe de persil haché
Sel, poivre

Préparation et cuisson : 13 mn.

1. Faites chauffer une poêle à sec (de préférence à revêtement anti-adhésif ; à défaut, huilez-la très légèrement lorsqu'elle est chaude avec du papier absorbant) ; mettez-y à dorer les escalopes de veau 4 à 5 minutes sur chaque face.

2. Préchauffez 4 assiettes ; pendant ce temps, faites chauffer dans une petite casserole la crème fraîche avec la moutarde, le sel et le poivre ; mélangez bien l'ensemble.

3. Placez les escalopes sur les assiettes et maintenez-les au chaud. Déglacez la poêle avec le vin blanc ; lorsqu'il est légèrement réduit, ajoutez la crème contenue dans la casserole, faites bouillir quelques instants pour que celle-ci réduise également, puis nappez les escalopes de cette sauce. Saupoudrez de persil haché et servez immédiatement.

Notre conseil
Cette recette peut se faire également avec des escalopes de poulet, de dinde, etc.

Crème de banane

Pour 4 personnes :
3 bananes
3 petits-suisses
3 cuillerées à soupe de gelée de groseille
3 cuillerées à soupe de sucre glace
1 poignée d'amandes effilées

Préparation : 7 mn.

1. Pelez les bananes ; écrasez-les à la fourchette jusqu'à obtention d'une pommade bien lisse. Ajoutez les petits-suisses et le sucre glace, puis mélangez bien le tout.

2. Répartissez cette crème dans des petits ramequins individuels ; étalez soigneusement la gelée de groseille tiédie au micro-ondes, par exemple, sur la crème de banane.

3. Au dernier moment, faites griller, au four ou au gril, les amandes effilées, puis parsemez-les sur la gelée de groseille.

Menu en famille

Salade gourmande

Pour 4 personnes :
1/4 de chou-fleur
3 tomates
1 avocat
1 citron

Pour la vinaigrette :
3 cuillerées à soupe d'huile de tournesol
1 cuillerée à soupe de vinaigre, balsamique de préférence
Fines herbes fraîches (cerfeuil, ciboulette, estragon...)
Sel, poivre

Préparation et cuisson : 10 mn (micro-ondes).

1. Nettoyez le chou-fleur : ôtez le trognon, cassez les petits bouquets et ne gardez que les fleurettes ; placez-les dans un plat allant au micro-ondes, arrosez de 2 cuillerées à soupe d'eau, salez et poivrez. Couvrez et laissez cuire pendant 3 minutes à puissance maximale. Le chou-fleur doit rester ferme.

2. Plongez rapidement les tomates dans de l'eau bouillante, puis pelez-les. Coupez-les en deux, épépinez-les et coupez la chair en petits dés.

3. Ouvrez l'avocat en deux, ôtez-en le noyau et creusez la chair à l'aide d'une cuillère à soupe ; détaillez-la en petits dés ou en boules et citronnez immédiatement.

4. Préparez la vinaigrette : émulsionnez l'huile avec le vinaigre, le sel et le poivre.

5. Disposez les fleurettes de chou-fleur sur un grand plat creux, parsemez de petits dés de tomates et d'avocats, puis nappez de vinaigrette. Ciselez les fines herbes au-dessus du plat au moment de servir.

Émincé de poulet à l'estragon

Pour 4 personnes :
4 blancs de poulet
2 cuillerées à soupe de feuilles d'estragon frais
2 échalotes
20 g de beurre
2 cuillerées à soupe de crème fraîche
Sel, poivre

Préparation et cuisson : 12 mn.

1. Coupez les blancs de poulet en fines lamelles. Pelez les échalotes et émincez-les finement. Ciselez les feuilles d'estragon.

2. Faites fondre le beurre dans une grande poêle et mettez-y à revenir rapidement les lamelles de poulet ; ajoutez les échalotes et laissez cuire pendant 8 minutes. Versez la crème fraîche, salez, poivrez et laissez réduire la sauce, à découvert, en remuant avec une spatule en bois. Ajoutez enfin l'estragon haché et mélangez bien. Servez dans des assiettes préalablement chauffées, avec du riz pilaf ou des tagliatelles.

Pain perdu à l'orange

Pour 4 personnes :
4 tranches de brioche de la veille
2 oranges non traitées (en saison, utilisez de la Maltaise)
2 cuillerées à soupe de Cointreau
2 œufs
30 g de sucre vanillé
30 g de beurre

Préparation et cuisson : 8 mn.

1. Râpez le zeste de 1 orange. Pressez le jus des 2 oranges. Mélangez le jus recueilli avec le Cointreau et 2 cuillerées à soupe de zeste d'orange. Faites-y tremper les tranches de brioche et retournez-les lorsqu'elles en sont bien imprégnées sans être trop molles.

2. Battez les œufs en omelette légère dans une assiette creuse, puis trempez-y chaque tranche sur les deux faces, juste pour les enrober.

3. Faites fondre le beurre dans une grande poêle, mettez-y à dorer les tranches de brioche d'un côté puis de l'autre, et déposez-les sur du papier absorbant. Saupoudrez-les avec le sucre vanillé.

4. Répartissez les tranches de brioche sur des assiettes à dessert, arrosez avec le reste du jus de macération et parsemez du reste de zeste d'orange.

Menu en famille

Brocolis mimosa

Pour 4 personnes :
4 œufs

200 g de brocolis

2 belles tomates

Pour la mayonnaise :
1 cuillerée à café de moutarde

1 cuillerée à café
de vinaigre de vin

1 dl d'huile de tournesol

1 cuillerée à soupe
d'estragon frais haché

1 cuillerée à soupe de ciboulette
fraîche hachée

1 cuillerée à soupe de cerfeuil
frais haché

1 cuillerée à soupe de basilic
frais haché

Sel, poivre

Préparation et cuisson : 10 mn.

1. Faites durcir les œufs à l'eau bouillante pendant 9 minutes.

2. Pendant ce temps, nettoyez les brocolis, détaillez-les en bouquets et faites-les cuire à la vapeur pendant 5 minutes. Plongez rapidement les tomates dans de l'eau bouillante, puis pelez-les. Ouvrez-les en deux, épépinez-les et découpez la chair en petits cubes.

3. Préparez la mayonnaise : mélangez la moutarde et le vinaigre, battez au fouet en ajoutant l'huile progressivement, salez et poivrez.

4. Passez les œufs sous l'eau fraîche et écalez-les. Coupez-les en deux dans le sens de la longueur et séparez les blancs des jaunes. Écrasez les jaunes à la fourchette et mettez-en le tiers dans la mayonnaise,

que vous battez à nouveau pour la faire monter. Ajoutez toutes les herbes et mélangez bien. Emplissez les blancs d'œufs de cette sauce.

5. Dans un grand plat creux, disposez joliment les bouquets de brocolis, les blancs d'œufs farcis et les petits dés de tomates. Parsemez le reste des jaunes sur la salade et placez au frais jusqu'au moment de servir.

Saumon à la vinaigrette au pastis

Pour 4 personnes :
4 darnes de saumon
pas trop épaisses

1 cuillerée à soupe
d'huile de tournesol

4 cuillerées à soupe d'huile d'olive

1/2 cuillerée à café de moutarde

1 cuillerée à café de pastis

1/2 cuillerée à café
de vinaigre de xérès

2 branches d'aneth

1 bulbe de fenouil

Sel, poivre

Préparation et cuisson : 12 mn.

1. Faites chauffer un gril (en fonte de préférence) et graissez-le avec l'huile de tournesol, à l'aide d'un papier absorbant. Saisissez les darnes de saumon sur leurs deux faces pendant 4 minutes.

2. Préparez la vinaigrette : émulsionnez l'huile d'olive avec 1 cuillerée à soupe d'eau, la moutarde, le

pastis, le vinaigre, le sel et le poivre. Ajoutez les branches d'aneth ciselées.

3. Nettoyez le bulbe de fenouil, coupez-le en fines lanières et mélangez-le à la moitié de la vinaigrette. Versez le reste de vinaigrette en saucière.

4. Posez les darnes de saumon sur des assiettes préalablement chauffées, entourez de salade au fenouil et servez aussitôt avec des tomates au four et la vinaigrette en saucière.

Poires au chocolat

Pour 4 personnes :
125 g de chocolat extra-noir

1 cuillerée à soupe
de crème fraîche

4 boules de glace à la vanille

4 boules de sorbet aux poires

1 grande boîte de poires au sirop

Préparation et cuisson : 8 mn.

1. Cassez le chocolat en petits morceaux et faites-le fondre sur feu doux au bain-marie – ou au four à micro-ondes. Lorsqu'il est bien lisse, retirez-le du feu et mélangez-le avec la crème fraîche.

2. Dans des coupes individuelles, disposez 2 demi-poires par personne ; placez au centre 1 boule de glace à la vanille et 1 boule de sorbet aux poires. Arrosez avec le chocolat fondu tout chaud et servez aussitôt.

Menu en famille

Chou blanc au gouda

Pour 4 personnes :

1/2 chou blanc

1 oignon rouge

150 g de gouda

1 cuillerée à soupe
de cumin en graines

Pour la vinaigrette :

1 cuillerée à soupe
de vinaigre de vin

1 cuillerée à café de moutarde

4 cuillerées à soupe
d'huile de tournesol

Sel, poivre

Préparation et cuisson : 10 mn.

1. Lavez le chou et émincez-le très finement. Faites bouillir une grande quantité d'eau salée et plongez-y les lanières de chou pendant 1 minute après la reprise de l'ébullition. Égouttez le chou et passez-le sous l'eau fraîche.

2. Pelez et émincez l'oignon. Coupez le fromage en petits cubes.

3. Dans un grand saladier, préparez la vinaigrette : mélangez le vinaigre avec la moutarde, émulsionnez en versant l'huile en filet, salez et poivrez. Ajoutez le chou, remuez bien pour qu'il s'imprègne de sauce ; décorez avec l'oignon et les cubes de fromage, puis parsemez de cumin. Placez le saladier au frais juqu'au moment de servir.

Boudin noir aux deux pommes

Pour 4 personnes :

600 g de boudin noir

2 pommes Golden

1 cuillerée à soupe de sucre

2 pommes de terre nouvelles

30 g de beurre

1 cuillerée à soupe
d'huile d'arachide

Sel, poivre

Préparation et cuisson : 12 mn.

1. Faites chauffer l'huile dans une grande poêle à fond épais. Piquez le boudin avec une fourchette pour éviter qu'il n'éclate à la cuisson. Mettez-le dans la poêle. Retournez-le au bout de 5 minutes.

2. Pelez les pommes, retirez-en le cœur. Détaillez-les en lamelles.

3. Pelez les pommes de terre et coupez-les en fines rondelles. Salez et poivrez.

4. Faites fondre le beurre dans une grande poêle à revêtement anti-adhésif ; versez les rondelles de pomme de terre d'un côté de la poêle et les lamelles de pomme de l'autre côté, sans les mélanger. Laissez cuire sur feu moyen pendant 3 minutes. Retournez les pommes de terre en une seule fois, en essayant de les maintenir collées les unes aux autres pour former de petites galettes. Retournez aussi les lamelles de pomme et sucrez-les pour qu'elles caramélisent.

5. Disposez le boudin dans un plat de service préchauffé et entourez-le des deux pommes.

Blanc-manger aux pistaches

Pour 4 personnes :
(au moins 2 heures à l'avance)

0,5 l de lait

50 g de sucre

1 cuillerée à soupe de fromage
blanc crémeux type Fjord

2 feuilles de gélatine

50 g de pistaches décortiquées
et émondées

1 blanc d'œuf

1 pincée de sel

Préparation et cuisson : 8 mn.

1. Faites tremper les feuilles de gélatine dans de l'eau froide pour les ramollir.

2. Mélangez le lait et le sucre dans une grande casserole sur feu moyen et faites bouillir pendant 3 minutes. Égouttez la gélatine, puis mettez-la à fondre dans le lait chaud ; mélangez bien. Laissez refroidir la préparation.

3. Dans un récipient creux, mettez le blanc d'œuf et le sel, puis montez en neige assez ferme. Ajoutez le fromage blanc et battez encore.

4. Hachez grossièrement les pistaches (surtout, ne les réduisez pas en poudre).

5. Mélangez délicatement le lait sucré, la neige d'œuf au fromage blanc et la moitié des pistaches. Remplissez 4 grands ramequins et placez-les au frais pendant au moins 2 heures, afin que la préparation durcisse.

6. Au moment de servir, parsemez des pistaches restantes.

Menu économique « copains »

Toasts au chèvre et aux olives

Pour 4 personnes :
150 g de fromage de chèvre frais
70 g de tapenade
Quelques branches de romarin réduites en poudre
2 cuillerées à soupe d'huile d'olive (facultatif)
4 tranches de pain de campagne

Préparation et cuisson : 5 mn.

1. Écrasez le fromage de chèvre à la fourchette et mélangez-le à la tapenade : il faut que la pâte soit bien homogène. Au besoin, ajoutez un peu d'huile d'olive et passez le tout au mixer. Versez la pâte dans une petite terrine, couvrez-la et placez-la au réfrigérateur.

2. Au moment de servir, faites griller légèrement les tranches de pain de campagne et badigeonnez-les d'huile d'olive. Servez avec la terrine : chacun se tartinera son toast et le saupoudrera d'un peu de romarin selon son goût.

Notre conseil
Si vous ne trouvez pas de tapenade toute prête, préparez-la vous-même en broyant au mixer 80 g d'olives noires dénoyautées avec 1 cuillerée à soupe d'huile d'olive et 1 cuillerée à café d'herbes de Provence.

Fausse quiche lorraine

Pour 4 personnes :
4 belles tranches de pain de mie
50 g de beurre
3 œufs
1 belle tranche de jambon
70 g de crème fraîche
50 g de gruyère râpé

Préparation et cuisson : 15 mn.

1. Allumez le four à th. 6. Faites fondre 1 noix de beurre dans une grande poêle. Otez la croûte du pain de mie et faites revenir les tranches dans la poêle pour qu'elles dorent très légèrement. Remettez du beurre au fur et à mesure qu'il est absorbé par le pain.

2. Dans une terrine, battez les œufs en omelette avec la crème fraîche et le gruyère râpé ; hachez finement le jambon et mélangez-le à l'omelette.

3. Beurrez un plat à four. Tartinez copieusement les tranches de pain de mie de préparation aux œufs ; rangez-les dans le plat et enfournez pendant 8 minutes environ. Elles doivent ressortir dorées et croustillantes. Servez avec une belle salade verte.

Notre conseil
Dans cette version rapide de la quiche lorraine, la croustade est remplacée par du pain de mie et le lard par du jambon, ce qui réduit considérablement le temps de cuisson.

Bananes au chocolat chaud

Pour 4 personnes :
4 bananes
125 g de chocolat noir
1 petit verre de lait
10 g de beurre
25 g d'amandes effilées

Préparation et cuisson : 10 mn.

1. Faites chauffer le lait avec le beurre ; ajoutez-y le chocolat cassé en petits morceaux et maintenez sur le feu 5 minutes en remuant régulièrement jusqu'à obtention d'une pâte bien lisse.

2. Pelez les bananes et coupez-les en rondelles ; placez-les au fond de ramequins individuels. Faites griller rapidement au four les amandes effilées.

3. Versez le chocolat chaud sur les rondelles de banane, parsemez d'amandes grillées et servez tiède.

Menu économique « copains »

Salade MCB

Pour 4 personnes :

125 g de mâche
en sachet fraîcheur

2 branches de céleri

1 betterave cuite

4 cerneaux de noix

1 pomme

1/2 jus de citron

Pour la vinaigrette :

1 cuillerée à café de moutarde

1 cuillerée à soupe
de vinaigre de cidre

4 cuillerées à soupe d'huile
de tournesol (ou moitié tournesol
et moitié huile de noix)

1 cuillerée à soupe de persil haché

Sel, poivre

Préparation : 10 mn.

1. Rincez rapidement la mâche et égouttez-la soigneusement. Avec un couteau économe, pelez les branches de céleri et la pomme. Aspergez-les immédiatement de jus de citron. Coupez le céleri en petits tronçons. Ouvrez la pomme en quatre, ôtez les pépins et le cœur, coupez-la en petites lamelles. Pelez la betterave et coupez-la en fines tranches. Concassez grossièrement les cerneaux de noix.

2. Préparez la vinaigrette : dans un grand saladier, mélangez la moutarde et le vinaigre, émulsionnez avec l'huile, salez, poivrez, ajoutez le persil et émulsionnez de nouveau.

3. Dans le saladier, versez la mâche puis le céleri, la betterave, la pomme et enfin les noix. Mélangez bien.

Œufs et chipolatas aux galettes de pomme de terre

Pour 4 personnes :

8 œufs

60 g de beurre

4 chipolatas

4 pommes de terre nouvelles

Sel, poivre

Préparation et cuisson : 15 mn.

1. Pelez, lavez, séchez et râpez les pommes de terre ; salez-les et poivrez-les.

2. Dans une grande poêle, faites fondre la moitié du beurre et posez-y 8 petits tas de pomme de terre assez espacés les uns des autres. Écrasez-les légèrement avec le dos d'une cuillère pour former des galettes. Faites cuire 8 minutes en retournant à mi-cuisson.

3. Pendant ce temps, faites fondre le reste du beurre dans une autre grande poêle sur feu doux. Cassez-y les œufs en les séparant bien les uns des autres. Placez les chipolatas entre les œufs et faites-les cuire 8 minutes en les retournant à mi-cuisson.

4. Répartissez les galettes de pomme de terre dans les assiettes, couvrez-les avec les œufs « à cheval », ajoutez les chipolatas et servez aussitôt.

Mont-Blanc

Pour 4 personnes :

1 petite boîte de crème de marron
vanillée

25 cl de crème fraîche liquide

1 grosse cuillerée à soupe
de crème fraîche épaisse

1 cuillerée à café de sucre glace

Préparation : 5 mn.

1. Battez la crème liquide au fouet électrique pour obtenir une chantilly légère. Ajoutez alors la crème de marron et battez encore quelques instants.

2. Battez la crème fraîche épaisse avec le sucre glace au fouet électrique jusqu'à obtention d'une chantilly solide.

3. Dans de grands verres à pied, versez le mélange crème de marron-chantilly légère. Avec une poche à douille cannelée, formez par-dessus un dôme de chantilly solide. Placez au réfrigérateur jusqu'au moment de servir.

Notre conseil

Vous pouvez aussi mélanger tout simplement la crème de marron avec de la crème fraîche sans monter celle-ci en chantilly. C'est un peu plus lourd, mais très bon quand même.

Menu économique « copains »

Velouté à l'avocat

Pour 4 personnes :
2 avocats bien mûrs
1 cube de bouillon de volaille
100 g de crème fraîche
2 jaunes d'œufs
1/2 jus de citron
3 cuillerées à soupe de cerfeuil
Sel, poivre

Préparation et cuisson : 10 mn.

1. Portez 0,75 l d'eau à ébullition après y avoir écrasé le cube de volaille. Couvrez et laissez mijoter quelques instants.

2. Pendant ce temps, ouvrez les avocats en deux, ôtez les noyaux et creusez la chair avec une cuillère. Placez la pulpe d'avocat dans le bol d'un robot, ajoutez la crème fraîche, les jaunes d'œufs, le jus de citron ; salez et poivrez très légèrement, le bouillon l'étant déjà. Actionnez l'appareil jusqu'à ce que la préparation soit réduite en fine purée.

3. Versez la crème d'avocat dans le bouillon de volaille et battez l'ensemble jusqu'à ce qu'il soit bien homogène et bien chaud. Ne faites surtout pas bouillir, car le jaune d'œuf coagulerait.

4. Au moment de servir, versez le velouté dans une soupière et parsemez de cerfeuil finement ciselé.

Notre conseil
Si vous préférez préparer votre bouillon vous-même, faites bouillir de l'eau avec des abattis de volaille, des carottes en rondelles et un bouquet garni.

Salade de macaronis au jambon

Pour 4 personnes :
2 œufs
100 g de macaronis coupés
2 belles tranches de jambon à l'os
2 cornichons
4 cerneaux de noix
4 cuillerées à soupe de mayonnaise
1 cuillerée à soupe de crème fraîche
1/2 citron
2 cuillerées à café de persil haché
Sel, poivre

Préparation et cuisson : 12 mn.

1. Faites durcir les œufs à l'eau bouillante pendant 8 minutes.

2. Portez une grande quantité d'eau salée à ébullition et plongez-y les macaronis. Laissez-les cuire pendant 7 minutes environ pour qu'ils soient « al dente ».

3. Mélangez la mayonnaise avec la crème fraîche. Ajoutez le jus du demi-citron et le persil haché ; salez, poivrez et remuez soigneusement. Coupez le jambon en petits dés et les cornichons en fines rondelles. Concassez grossièrement les cerneaux de noix.

4. Rafraîchissez les œufs durs sous l'eau froide et écalez-les. Coupez-les en quartiers. Lorsque les pâtes sont cuites, rincez-les à l'eau fraîche et égouttez-les.

5. Dans un grand saladier, mettez les pâtes, les quartiers d'œufs, les dés de jambon, les rondelles de cornichons et les noix concassées. Ajoutez la mayonnaise et mélangez le tout. Placez au frais jusqu'au moment de servir.

Brioches fourrées

Pour 4 personnes :
4 petites brioches
250 g de framboises ou de fraises
3 cuillerées à soupe de gelée de groseille
3 cuillerées à soupe de confiture d'abricot
3 cuillerées à soupe de sucre en poudre

Préparation et cuisson : 8 mn.

1. Nettoyez les fraises et coupez-les pour qu'elles soient de taille régulière, ou essuyez délicatement les framboises.

2. Faites chauffer la gelée de groseille avec la confiture d'abricot et le sucre en poudre ; jetez-y les fruits et laissez tiédir.

3. Coupez le chapeau des brioches. Évidez légèrement les brioches, passez-les au four juste le temps de les tiédir, garnissez-les de fruits et de gelée, remettez le chapeau et disposez sur les assiettes à dessert. Répartissez le reste de gelée tout autour et servez.

Menu économique « copains »

Salade de betterave crue

Pour 4 personnes :

2 belles betteraves

1 jus de citron

50 g de noisettes décortiquées

3 cuillerées à soupe d'huile

2 branches d'estragon frais

Sel, poivre

Préparation : 7 mn.

1. Brossez énergiquement les betteraves crues sous l'eau du robinet. Pelez-les à l'aide d'un couteau économe et coupez-les en gros morceaux ; placez-les dans le bol d'un robot avec les noisettes. Actionnez l'appareil jusqu'à ce qu'elles soient râpées.

2. Émulsionnez vigoureusement le jus de citron, l'huile, le sel et le poivre ; versez cette sauce sur les betteraves et mélangez bien. Parsemez de quelques feuilles d'estragon au moment de servir.

Notre conseil
Céleri-rave et carottes en mélange peuvent être accommodés de la même manière.

Onglet au beurre d'échalote

Pour 4 personnes :

4 morceaux d'onglet de 150 g environ chacun

50 g de beurre mou

4 échalotes

Sel, poivre

Préparation et cuisson : 15 mn.

1. Pelez et hachez finement les échalotes ; malaxez-les avec le beurre mou. Posez ce beurre d'échalote sur une feuille d'aluminium, formez un rouleau et placez-le aussitôt au congélateur.

2. Chauffez un gril ou une poêle à revêtement antiadhésif ; saisissez-y l'onglet 3 à 4 minutes sur chaque face. Lorsque la viande est cuite à votre goût, répartissez-la sur des assiettes préalablement chauffées. Découpez 4 rondelles de beurre d'échalote, posez-les sur les morceaux d'onglet pour qu'elles y fondent et servez aussitôt avec des pommes de terre en robe des champs.

Notre conseil
Vous pouvez remplacer l'onglet par de la bavette ou de la hampe, et le beurre d'échalote par un beurre d'ail (6 gousses) ou d'olive noire (10 olives noires dénoyautées).

Compote gratinée au miel

Pour 4 personnes :

4 pots individuels de compote de pomme ou de poire achetés tout prêts au rayon frais, ou 400 g de compote maison

20 g de beurre

1/2 zeste de citron

4 cuillerées à soupe de miel d'acacia

Préparation et cuisson : 8 mn.

1. Allumez le four à th. 6. Beurrez le fond et les bords de 4 ramequins individuels en terre cuite, et versez-y la compote de pomme ou de poire. Saupoudrez de zeste de citron haché. Nappez de miel liquide.

2. Glissez les ramequins dans le four et faites-les gratiner pendant 5 à 6 minutes. Éteignez le four et laissez la compote tiédir jusqu'au moment de servir.

Notre conseil
Vous pouvez accompagner cette compote gratinée d'une boule de glace à la vanille et de madeleines tièdes, par exemple.

Menu économique « copains »

Pissenlits aux lardons

Pour 4 personnes :
250 g de pissenlits très frais
8 cerneaux de noix
150 g de lardons
2 cuillerées à café de beurre
Pour la vinaigrette :
1/2 cuillerée à café de moutarde
1 cuillerée à soupe de vinaigre de xérès ou de bon vin rouge
2 cuillerées à soupe d'huile de tournesol
Sel, poivre

Préparation et cuisson : 10 mn.

1. Faites fondre le beurre dans une poêle à revêtement antiadhésif et mettez-y à dorer les lardons.

2. Pendant ce temps, coupez le pied des pissenlits, lavez-les très soigneusement et séchez-les bien. Coupez grossièrement les feuilles et versez-les dans un saladier.

3. Préparez la vinaigrette : émulsionnez l'huile, le vinaigre, la moutarde, le sel et le poivre.

4. Égouttez les lardons et ajoutez-les aux pissenlits. Concassez grossièrement les cerneaux de noix et mettez-les également dans le saladier. Au moment de servir, versez la vinaigrette et mélangez bien.

Notre conseil
Pour en faire une entrée plus consistante, voire le plat principal d'un petit dîner léger, ajoutez à cette salade des œufs mollets ou pochés.

Côtes d'agneau à l'ail

Pour 4 personnes :
8 côtes d'agneau premières
3 gousses d'ail haché
2 cuillerées à soupe d'huile d'olive
2 cuillerées à café de persil plat ciselé
1 cuillerée à soupe de chapelure (facultatif)
Sel, poivre

Préparation et cuisson : 15 mn.

1. Faites chauffer une plaque de fonte ou une poêle à fond épais. Mettez-y à dorer les côtes d'agneau sur les deux faces.

2. Pendant ce temps, mélangez l'ail, le sel, le poivre, l'huile d'olive, le persil et éventuellement la chapelure. Émulsionnez le tout et arrosez les côtes d'agneau de ce mélange.

3. Poursuivez la cuisson pendant encore 1 minute, puis servez sur des assiettes préalablement chauffées.

Notre conseil
Pour accompagner ces petites côtes, coupez des courgettes en rondelles très fines et faites-les cuire à l'étouffée.

Mousse de kiwi

Pour 4 personnes :
8 kiwis
2 oranges
4 cuillerées à soupe de cassonade ou de miel

Préparation : 5 mn.

1. Pressez le jus des oranges ; pelez les kiwis et coupez-les en morceaux.

2. Mettez tous les ingrédients dans le bol d'un mixer et actionnez l'appareil quelques secondes. Versez cette préparation dans des coupes individuelles et placez au frais jusqu'au moment de servir.

Notre conseil
Vous pouvez varier les combinaisons en fonction des saisons : kiwis et fraises, kiwis et bananes... Dans ce dernier cas, ajoutez 1 cuillerée à café de jus de citron dans le bol du mixer.

Menu économique « copains »

Concombre au vinaigre et au miel

Pour 4 personnes :
1 beau concombre

1 cuillerée à soupe de vinaigre de cidre

1 cuillerée à café de miel liquide

2 cuillerées à soupe d'huile de tournesol

1 cuillerée à soupe de graines de sésame (ou de gomasio)

Sel, poivre

Préparation : 5 mn.

1. Pelez le concombre et coupez-le en quatre dans le sens de la longueur. Otez les graines qui se trouvent au centre et détaillez la pulpe en petits dés, que vous placez dans un grand saladier.

2. Préparez la sauce au miel : battez ensemble le vinaigre, le miel, l'huile, du sel et du poivre (si vous utilisez du gomasio, ne salez pas, car il contient déjà du sel). Versez cette sauce sur le concombre et mélangez bien. Placez le saladier au frais jusqu'au moment de servir.

3. Ajoutez les graines de sésame au dernier moment, afin qu'elles restent croquantes, ou saupoudrez de gomasio.

Notre conseil
Le gomasio est un produit de base dans la cuisine macrobiotique. Il se compose de graines de sésame et de sel marin finement pulvérisés. Il donne un goût délicieux à toutes les crudités.

Moules au curry

Pour 4 personnes :
1 kg de moules de bouchot

30 g de beurre

1 petit bouquet de persil

1 tomate

1 gros oignon

1 cuillerée à café de poudre de curry

125 g de crème fraîche

Sel, poivre

Préparation et cuisson : 15 mn.

1. Grattez et lavez soigneusement les moules.

2. Dans une grande marmite, faites fondre le beurre et jetez-y les moules. Couvrez et maintenez sur feu assez vif, en remuant régulièrement le récipient, jusqu'à ce que les moules soient toutes ouvertes.

3. Pendant ce temps, lavez le bouquet de persil et séchez-le dans du papier absorbant. Ébouillantez la tomate, pelez-la, épépinez-la et coupez-la en morceaux. Pelez l'oignon et coupez-le également en morceaux. Mettez le tout dans le bol du mixer et hachez finement.

4. Mélangez le curry et la crème fraîche, salez et poivrez légèrement.

5. Lorsque les moules sont ouvertes, ajoutez le hachis de légumes et remuez avec une spatule en bois jusqu'à ce que les moules en soient parfaitement imprégnées. Versez alors la crème fraîche au curry et donnez-lui quelques bouillons, puis remuez bien de nouveau et servez aussitôt.

Crêpes au miel et aux noix

Pour 4 personnes :
4 crêpes au froment achetées toutes prêtes chez le traiteur ou en grande surface

4 cuillerées à soupe de miel d'acacia

12 cerneaux de noix

30 g de beurre

Préparation et cuisson : 10 mn.

1. Allumez le four à th. 6. Faites fondre 1 noix de beurre dans une grande poêle et passez-y rapidement les crêpes pour les ramollir légèrement. Beurrez un grand moule rond, de la taille d'une crêpe. Hachez grossièrement les cerneaux de noix.

2. Étalez 1 cuillerée à soupe de miel sur chaque crêpe, saupoudrez-la du quart des noix hachées, pliez-la en quatre et rangez-la dans le plat.

3. Étalez le beurre restant sur les crêpes et enfournez le plat immédiatement. Laissez cuire pendant 3 à 4 minutes, puis éteignez le four et laissez le plat à l'intérieur jusqu'au moment de servir.

Notre conseil
Recouvrez les crêpes d'une feuille de papier sulfurisé, afin qu'elles restent moelleuses, sans brûler ni se dessécher.

Menu économique « copains »

Crevettes en sauce rose

Pour 4 personnes :
Quelques belles feuilles de laitue ou de batavia
300 g de crevettes roses décortiquées ou 500 g de crevettes non décortiquées

Pour la vinaigrette :
1 cuillerée à café de moutarde
1 cuillerée à soupe de concentré de tomate
1 cuillerée à soupe de vinaigre
4 cuillerées à soupe d'huile de tournesol
Sel, poivre

Préparation : 10 mn.

1. Si vous avez acheté des crevettes entières, décortiquez-les et conservez leur jus. Remettez-les au frais.

2. Préparez la vinaigrette : mélangez la moutarde, le vinaigre, le concentré de tomate et, éventuellement, le jus des crevettes ; salez et poivrez. Battez énergiquement avec un fouet métallique en versant l'huile en filet. Mélangez cette sauce aux crevettes.

3. Répartissez les feuilles de salade dans les assiettes, garnissez de crevettes en sauce rose et placez au frais jusqu'au moment de servir.

Notre conseil
Vous pouvez ajouter 1 cuillerée à café de whisky et quelques gouttes de tabasco à la sauce rose si vous la préférez plus relevée.

Tagliatelles au gorgonzola

Pour 4 personnes :
200 g de tagliatelles
2 cuillerées à soupe d'huile d'olive
4 cuillerées à soupe de crème fraîche liquide
150 g de gorgonzola ou de mascarpone
50 g de parmesan
Sel, poivre

Préparation et cuisson : 12 mn.

1. Portez à ébullition une grande quantité d'eau salée additionnée de l'huile d'olive. Mettez-y à cuire les tagliatelles pendant 5 à 7 minutes, selon l'indication inscrite sur le paquet ; elles doivent rester « al dente ».

2. Pendant ce temps, écrasez à la fourchette le gorgonzola ou le mascarpone dans une petite casserole. Ajoutez la crème fraîche, salez, poivrez, mélangez et mettez sur feu doux.

3. Égouttez les pâtes soigneusement, puis remettez-les dans leur récipient de cuisson. Ajoutez la crème au gorgonzola, mélangez et servez aussitôt avec le parmesan présenté à part.

Glace à la vanille, aux mandarines et au chocolat chaud

Pour 4 personnes :
500 g de glace à la vanille
4 mandarines
125 g de chocolat noir

Préparation et cuisson : 8 mn.

1. Pelez les mandarines à vif et détachez les quartiers.

2. Cassez le chocolat en morceaux et faites-le fondre avec 2 cuillerées à soupe d'eau au bain-marie ou au micro-ondes. Lissez pour que cette sauce soit bien homogène.

3. Démoulez la glace à la vanille sur un grand plat creux. Répartissez sur le dessus et les côtés les quartiers de mandarine, puis couvrez avec le chocolat encore chaud mais non bouillant. Servez immédiatement.

Menu économique « copains »

Tomates au coulis de tomate

Pour 4 personnes :
4 belles tomates mûres mais fermes

2 cœurs de céleri-branche

3 cuillerées à soupe d'huile d'olive

1 cuillerée à café de vinaigre balsamique

2 feuilles de céleri-branche

Sel, poivre

Préparation : 10 mn.

1. Plongez rapidement les tomates dans de l'eau bouillante, puis passez-les sous l'eau fraîche. Pelez-les et épépinez-les. Coupez 3 d'entre elles en rondelles et détaillez la quatrième en dés. Disposez les rondelles de tomate sur un grand plat creux. Épluchez et détaillez les cœurs de céleri-branche.

2. Dans le bol d'un robot, mettez les dés de tomate et les morceaux de cœurs du céleri. Hachez grossièrement, puis ajoutez l'huile d'olive, le vinaigre, le sel et le poivre. Actionnez de nouveau l'appareil pour obtenir un coulis onctueux.

3. Nappez les rondelles de tomate de coulis et placez le plat au réfrigérateur. Au moment de servir, ciselez les feuilles de céleri et décorez-en la salade de tomate.

Fricassée minute

Pour 4 personnes :
4 blancs de poulet

250 g de tagliatelles

1 gousse d'ail

20 g de beurre

1 verre de vin blanc

1 dl de crème fraîche liquide

*8 morilles
(à défaut, d'autres champignons)*

Sel, poivre

Préparation et cuisson : 10 mn.

1. Portez à ébullition une grande quantité d'eau salée ; faites-y cuire les tagliatelles « al dente » en suivant les indications portées sur le paquet (environ 7 minutes).

2. Pendant ce temps, émincez les blancs de poulet. Pelez l'ail et hachez-le finement.

3. Faites fondre le beurre dans une grande sauteuse et mettez-y à revenir l'ail et les lamelles de poulet ; ajoutez le vin blanc, laissez réduire sur feu doux, puis versez la crème fraîche. Mélangez bien et ajoutez les champignons. Laissez mijoter à couvert pendant 6 à 8 minutes.

4. Faites chauffer les assiettes. Égouttez les tagliatelles, répartissez-les dans les assiettes en formant des nids, que vous remplissez de fricassée de poulet. Servez aussitôt.

Mousse de pêche

Pour 4 personnes :
4 pêches bien mûres

3 cuillerées à café de jus de citron

1 dl de crème fraîche liquide

30 g de sucre

1 sachet de sucre vanillé

4 feuilles de menthe

Préparation : 10 mn.

1. Pelez les pêches après les avoir plongées 1 minute dans de l'eau bouillante. Dénoyautez-les et coupez-les en morceaux.

2. Dans le bol d'un robot, mettez les morceaux de pêche, ajoutez le jus de citron, le sucre et le sucre vanillé. Actionnez l'appareil jusqu'à obtention d'une fine purée, que vous placez au frais.

3. Battez la crème fraîche pendant 3 minutes environ. Mélangez la chantilly obtenue à la purée de fruit. Répartissez cette mousse dans des coupes individuelles, décorez avec les feuilles de menthe et remettez au frais jusqu'au moment de servir.

Menu économique « copains »

Blinis à la crème de sardine

Pour 4 personnes :
4 blinis
20 g de beurre
1 boîte de sardines sans peau ni arêtes
125 g de fromage blanc
1 cuillerée à soupe de ciboulette hachée
Sel, poivre

Préparation et cuisson : 7 mn.

1. Dans le bol d'un robot, mettez les sardines bien égouttées, le fromage blanc, le sel, le poivre et la ciboulette. Actionnez l'appareil jusqu'à obtention d'une fine purée bien homogène. Placez au frais.

2. Dans une grande poêle, faites fondre le beurre et mettez-y les blinis à dorer 2 minutes sur chaque face. Ils doivent rester moelleux à l'intérieur.

3. Mettez 1 blini dans chaque assiette, tartinez de crème de sardine et servez aussitôt.

Notre conseil
Vous pouvez remplacer les sardines par des maquereaux au vin blanc bien égouttés, et le fromage blanc par 100 g de crème fraîche.

Escalopes de poulet à l'indienne

Pour 4 personnes :
4 escalopes de poulet
1 yaourt
1/2 cuillerée à café de curcuma (ou de curry ou de safran)
Sel, poivre

Préparation et cuisson : 12 mn.

1. Dans un plat creux, mélangez le yaourt avec le curcuma (le curry ou le safran), le sel et le poivre. Placez les escalopes de poulet dans ce mélange, puis retournez-les pour qu'elles s'imprègnent bien, fermez hermétiquement le plat avec du papier d'aluminium pendant une dizaine de minutes.

2. Faites chauffer un gril en fonte et huilez-le légèrement. Quand il est bien chaud, mettez-y à griller les escalopes de poulet bien égouttées. Servez dès que c'est cuit.

Notre conseil
Dégustez avec du raita (mélange de yaourt et de concombre coupé en petits cubes).

Pêches pochées au coulis de groseille

Pour 4 personnes :
4 pêches bien mûres (ou 1 boîte de pêches au sirop)
1/2 citron non traité
50 g de sucre
1 sachet de sucre vanillé
1 sachet de coulis de groseille surgelé
2 grappes de groseilles

Préparation et cuisson : 8 mn.

1. Dans une casserole, mélangez 25 cl d'eau avec le sucre et le sucre vanillé. Portez à ébullition pour former un sirop. (Si vous utilisez des pêches en boîte, égouttez les fruits et portez le jus de la boîte à ébullition, sans utiliser les sucres.)

2. Plongez rapidement les pêches dans de l'eau bouillante ; pelez-les, ouvrez-les en deux, dénoyautez-les et frottez-les avec le demi-citron.

3. Jetez les pêches dans le sirop, couvrez et faites-les pocher pendant 4 à 5 minutes en les retournant une fois ou deux. Égouttez et laissez refroidir.

4. Plongez le sachet de coulis de groseille dans de l'eau bouillante pour le faire décongeler. Égrappez les groseilles.

5. Au moment de servir, répartissez les demi-pêches dans des coupelles, nappez d'un peu de coulis de groseille et décorez avec quelques baies.

Menu économique « copains »

Salade d'épinards au sésame

Pour 4 personnes :
200 g de pousses d'épinards
30 g de sésame
4 cuillerées à soupe d'huile d'olive
1/2 citron
1 pincée de curry ou de safran
Herbes fraîches (ciboulette ou cerfeuil)
Sel, poivre

Préparation : 5 mn.

1. Lavez les pousses d'épinards et essorez-les soigneusement. Ne gardez que les feuilles.

2. Préparez la sauce : émulsionnez l'huile avec le jus du demi-citron, le curry ou le safran, du sel et du poivre.

3. Disposez la salade sur un plat, saupoudrez de graines de sésame, puis nappez de sauce et décorez d'herbes ciselées.

Notre conseil
Vous pouvez remplacer les pousses d'épinards par du mesclun et le sésame par du gomasio, disponible dans les magasins de produits diététiques. Dans ce dernier cas, ne salez pas : le gomasio contient déjà du sel.

Boulettes d'agneau à l'indienne

Pour 4 personnes :
500 g de viande d'agneau hachée
4 feuilles de menthe
4 branches de coriandre fraîche
1 petit oignon nouveau
1 gousse d'ail
1/2 cuillerée à soupe de cumin
1 pincée de piment de Cayenne
2 grains de cardamome
1 œuf
3 cuillerées à soupe de purée de pomme de terre
2 cuillerées à soupe de farine
1 dl d'huile
Sel, poivre

Préparation et cuisson : 15 mn.

1. Dans le bol d'un robot, mettez la menthe, la coriandre, l'oignon et la gousse d'ail pelés, le cumin, le piment de Cayenne, les grains de cardamome, le sel et le poivre, puis actionnez l'appareil environ 20 secondes. Ajoutez alors la viande hachée, la purée de pomme de terre et l'œuf entier ; mixez à nouveau jusqu'à ce que tous les ingrédients forment un mélange bien homogène.

2. Dans une grande poêle, mettez l'huile à chauffer. Farinez-vous les mains et façonnez des petites boulettes de viande, que vous déposez au fur et à mesure dans l'huile chaude. Retournez-les de temps à autre pour que toutes les boulettes cuisent bien uniformément. Lors-qu'elles sont dorées sur toutes leurs faces, égouttez-les sur du papier absorbant et servez-les aussitôt. Accompagnez de riz créole saupoudré d'amandes effilées grillées.

Oranges gratinées au four

Pour 4 personnes :
2 grosses oranges
4 cuillerées à café de sucre en poudre
4 cuillerées à café de Cointreau ou de curaçao
20 g de beurre mou
4 boules de glace au miel ou de nougat glacé
4 tuiles aux amandes

Préparation et cuisson : 10 mn.

1. Allumez le four, th. 6. Pelez les oranges à vif, coupez-les en deux et otez-les pépins apparents.

2. Dans une petite casserole, sur feu très doux, faites fondre le beurre et ajoutez-y le sucre en poudre et l'alcool choisi. Mélangez bien, puis badigeonnez-en les demi-oranges à l'aide d'un pinceau.

3. Rangez les oranges dans un plat et faites-les gratiner au four pendant 5 à 7 minutes au maximum. Il faut que le dessus soit juste doré ; au besoin, badigeonnez à nouveau de sirop en cours de cuisson.

4. Disposez les 4 demi-oranges chaudes sur les assiettes, accompagnez d'une boule de glace et d'une tuile aux amandes, servez aussitôt.

Menu économique « copains »

Asperges au jambon

Pour 4 personnes :

500 g d'asperges vertes

4 fines tranches de jambon cuit au torchon

4 tomates cerises

Pour la vinaigrette :

3 cuillerées à soupe d'huile de noisette

1 cuillerée à soupe d'huile de tournesol

1 cuillerée à soupe de vinaigre balsamique

2 branches de cerfeuil

Sel, poivre

Préparation et cuisson : 10 mn.

1. Nettoyez les asperges et coupez leur bout terreux. Inutile de les peler : dans les asperges vertes, tout se mange. Faites-les cuire à l'auto-cuiseur 3 minutes au maximum (au-delà, elles deviendraient trop molles). Égouttez-les et laissez-les refroidir.

2. Pendant la cuisson des asperges, préparez la vinaigrette : avec un fouet métallique, émulsionnez les huiles de noisette et de tournesol avec le vinaigre, le sel et le poivre.

3. Sur les assiettes, roulez une tranche de jambon sur elle-même, piquez-la avec un bâtonnet en bois pour la maintenir en rouleau, puis disposez les asperges parallèlement au jambon. Versez un peu de vinaigrette sur les asperges tièdes, puis décorez avec 1 tomate cerise et un peu de cerfeuil ciselé.

Spaghettis « aglio ed olio » *

Pour 4 personnes :

250 g de spaghettis

4 cuillerées à soupe d'huile d'olive extra-vierge

2 gousses d'ail

2 cuillerées à soupe de persil haché

100 g de parmesan fraîchement moulu ou râpé

Sel, poivre

Préparation et cuisson : 10 mn.

1. Portez à ébullition une grande quantité d'eau salée additionnée de 1 cuillerée à soupe d'huile d'olive ; faites-y cuire les spaghettis pendant 5 à 7 minutes pour qu'ils restent « al dente ».

2. Pendant ce temps, pelez les gousses d'ail et hachez-les fine-ment ; mélangez-les au persil et faites revenir l'ensemble dans une petite casserole. Quand l'ail est à peine transparent, ajoutez l'huile d'olive et continuez à chauffer.

3. Égouttez soigneusement les spaghettis, puis reversez-les dans leur récipient de cuisson. Ajoutez-leur l'huile aromatisée, poivrez généreusement, puis mélangez soigneusement. Répartissez les pâtes dans des assiettes chaudes et servez aussitôt avec le parmesan à part.

* Ail et huile.

Mousse glacée aux fraises des bois

Pour 4 personnes :

250 g de fraises des bois

100 g de crème fraîche liquide

50 g de sucre en poudre

2 blancs d'œufs

1 cuillerée à café de jus de citron

Préparation : 10 mn.

1. Battez la crème fraîche bien froide en chantilly et montez les blancs d'œufs en neige ferme. Mettez le tout dans le bol d'un mixer.

2. Essuyez délicatement les fraises des bois, puis ajoutez-les dans le bol du mixer avec le sucre et le jus de citron. Actionnez l'appareil quelques instants, puis versez la mousse obtenue dans de grands verres à pied. Placez au réfrigérateur jusqu'au moment de servir.

Notre conseil

Vous pouvez déguster cette déli-cieuse mousse avec des petits fours secs (tuiles, cigarettes, palets, langues de chat, macarons...), mais c'est alors un dessert plus coûteux !

Menu économique « copains »

Raie aux herbes

Pour 4 personnes :

500 g d'aile de raie préparée
par votre poissonnier

1 cuillerée à soupe
de vinaigre de vin

1 feuille de laurier

1 branche de thym

Pour la sauce :

1 cuillerée à soupe
de vinaigre de xérès

3 cuillerées à soupe
d'huile de pépins de raisin
(à défaut, de tournesol)

1 cuillerée à soupe de cerfeuil

1 cuillerée à soupe d'estragon

1 cuillerée à soupe de thym

1 cuillerée à soupe
de coriandre fraîche ciselée

Sel, poivre

Préparation et cuisson : 8 mn.

1. Dans une grande sauteuse avec couvercle, portez à ébullition une grande quantité d'eau salée avec le vinaigre, le laurier et le thym ; éteignez le feu et laissez à couvert pendant 2 à 3 minutes.

2. Mélangez le vinaigre, l'huile, les herbes, du sel et du poivre ; émulsionnez dans un saladier.

3. Plongez la raie dans le court-bouillon encore chaud mais non bouillant, replacez sur le feu et laissez frémir à découvert 4 minutes. Éteignez le feu, couvrez et laissez pocher quelques secondes.

4. A l'aide d'une écumoire, sortez la raie de la sauteuse et égouttez-la sur du papier absorbant. Répartissez le poisson dans les assiettes, assaisonnez-les et servez.

Couscous végétarien

Pour 4 personnes :

1 sachet de légumes
pour couscous surgelés

200 g de couscous
(semoule moyenne)

1 petite boîte de pois chiches

3 cuillerées à soupe d'huile d'olive

50 g de raisins secs

1 cuillerée à café de harissa

Sel

Préparation et cuisson : 15 mn.

1. Plongez le sachet de légumes dans de l'eau bouillante. Mettez les raisins secs à tremper dans de l'eau tiède.

2. Pendant ce temps, faites cuire le couscous à la vapeur : remplissez d'eau le fond d'un autocuiseur à hauteur du panier. Mouillez la semoule avec 2 cuillerées à soupe d'eau chaude, afin qu'elle gonfle légèrement et ne passe pas au travers des trous du panier. Étalez-la dans le panier, ajoutez les raisins secs bien égouttés et faites cuire le tout 5 à 7 minutes à découvert.

3. Lorsque les légumes sont décongelés, retirez-les du sachet et faites-les revenir dans une poêle avec 1 cuillerée à soupe d'huile d'olive ; ajoutez les pois chiches et la harissa. Salez et mélangez bien.

4. Au moment de servir, le couscous doit être bien gonflé. Humectez-le du reste d'huile d'olive, versez-le dans les assiettes et entourez-le de ses légumes d'accompagnement.

Crème au vin de Muscat

Pour 4 personnes :

3 œufs

2 cuillerées à soupe
de crème fraîche

1 verre de muscat

100 g de sucre en poudre

1 sachet de sucre vanillé

1 pincée de sel

1 grappe de raisin muscat

Préparation et cuisson : 7 mn.

1. Séparez les blancs des jaunes d'œufs. Dans une petite casserole, mélangez les jaunes, le sucre et le sucre vanillé. Battez au fouet métallique jusqu'à ce que le mélange blanchisse. Versez le vin, la moitié de la crème fraîche et fouettez de nouveau jusqu'à ce que la préparation devienne mousseuse.

2. Posez la casserole sur feu doux et laissez épaissir en remuant constamment avec une spatule. Quand le mélange nappe la cuillère, retirez la casserole du feu et laissez tiédir.

3. Battez les blancs d'œufs avec le sel et montez-les en neige. Ajoutez le reste de crème fraîche et battez de nouveau.

4. Incorporez très délicatement la neige au mélange jaunes d'œufs-vin. Répartissez cette crème dans des coupes et placez immédiatement au frais.

5. Lavez le raisin et égrappez-le : au moment de servir, répartissez les grains de raisin sur les coupes.

Menu chic

Assiette dégustation de foie gras

Pour 4 personnes :
4 petites tranches de foie gras de canard mi-cuit
4 tranches de foie gras de canard ou d'oie en bloc
4 tranches de foie gras cru
8 tranches de pain de mie
Gelée (facultatif)
Sel, poivre

Préparation et cuisson : 7 mn.

1. Sur 4 grandes assiettes, disposez les tranches de foie gras mi-cuit et cuit. Coupez la gelée en petits dés et répartissez-la tout autour. Placez au frais, mais pas au réfrigérateur.

2. Dans une poêle, faites sauter rapidement le foie gras cru sur ses deux faces. Salez et poivrez. Maintenez au chaud.

3. Au moment de servir, faites griller les tranches de pain de mie au four ou dans un toaster. Recouvrez-les d'une serviette propre pour les présenter à table et servez aussitôt avec les assiettes de foie gras.

Notre conseil
A déguster avec du porto, du sauternes ou du beaumes-de-Venise.

Filets de sole aux herbes et aux zestes de citron

Pour 4 personnes :
Les filets de 4 soles
50 g de beurre
1,25 l de crème fraîche ou de fromage blanc lisse
2 citrons non traités
1 cuillerée à soupe de cerfeuil frais haché
1 cuillerée à soupe d'estragon frais haché
1 cuillerée à soupe de ciboulette fraîche hachée
200 g de pousses d'épinards
Sel, poivre

Préparation et cuisson : 13 mn.

1. Préchauffez les assiettes et une saucière. Faites fondre 20 g de beurre dans une grande poêle anti-adhésive et placez-y les filets de sole ; laissez-les dorer légèrement sur les deux faces.

2. Dans une petite casserole, faites chauffer sans bouillir la crème fraîche ou le fromage blanc et ajoutez-y toutes les herbes. Râpez les zestes des citrons et pressez-en le jus. Versez zestes et jus dans la casserole, puis mélangez bien le tout.

3. Faites tomber les pousses d'épinards dans une poêle avec le beurre restant pendant 2 à 3 minutes.

4. Dressez les filets de sole sur les assiettes et entourez-les de pousses d'épinards. Versez la sauce crémée aux herbes dans la saucière ; servez-la en accompagnement.

Omelette flambée au rhum

Pour 4 personnes :
4 œufs
1 cuillerée à soupe de lait ou de crème fraîche légère
30 g de beurre
4 cuillerées à soupe de sucre vanillé
2 cuillerées à soupe de rhum
1 pincée de sel
4 boules de glace à la vanille

Préparation et cuisson : 10 mn.

1. Battez les œufs en omelette légère ; salez-les, ajoutez le lait ou la crème et battez de nouveau ; l'omelette doit être mousseuse.

2. Faites fondre le beurre dans une grande poêle à revêtement anti-adhésif sur feu moyen et mettez-y à cuire doucement l'omelette.

3. Lorsque l'omelette est cuite mais encore baveuse, saupoudrez-la de sucre vanillé et, hors du feu, versez rapidement le rhum ; faites-le flamber immédiatement. Laissez tiédir et, juste avant de servir, divisez l'omelette en quatre.

4. Disposez une part d'omelette sur chaque assiette et garnissez d'une boule de glace à la vanille.

Notre conseil
Vous pouvez remplacer le sucre vanillé par de la cassonade (sucre roux non raffiné), ou par du miel d'acacia ou de lavande.

Menu chic

Huîtres gratinées au naturel

Pour 4 personnes :
24 huîtres ouvertes par votre poissonnier
40 g de beurre demi-sel
1 kg de gros sel de mer
8 petites tranches de pain de campagne
Poivre du moulin

Préparation et cuisson : 10 mn.

1. Allumez le four à th. 4. Répartissez le gros sel sur la lèchefrite ; calez-y les huîtres débarrassées de leur coquille supérieure et vidées de leur eau, en les serrant bien les unes contre les autres. Donnez un petit tour de moulin à poivre sur chaque huître et posez-y 1 noisette de beurre.

2. Enfournez la lèchefrite et faites gratiner pendant 2 minutes, le temps que le beurre soit juste fondu.

3. Faites bien dorer les tranches de pain de campagne dans un toaster, étalez dessus le reste de beurre et servez-les en accompagnement.

Notre conseil
Vous pouvez remplacer le beurre demi-sel par du beurre manié aux fines herbes, aux échalotes, etc.

Rognons de veau flambés

Pour 4 personnes :
2 rognons parés et coupés en dés par votre tripier
50 g de beurre mou
20 g de persil haché
2 cuillerées à soupe de crème fraîche
4 pommes de terre nouvelles moyennes
1 cuillerée à soupe de cognac
Sel, poivre

Préparation et cuisson : 10 mn.

1. Malaxez 30 g de beurre avec le persil haché. Roulez-le en boudin dans du papier d'aluminium, puis placez-le au congélateur.

2. Lavez et brossez très soigneusement les pommes de terre – ne les pelez pas –, essuyez-les et coupez-les en quatre. Faites-les cuire à l'autocuiseur ou dans l'eau bouillante salée.

3. Préchauffez les assiettes. Faites fondre le beurre restant dans une grande poêle et mettez-y à sauter les dés de rognons pendant 4 à 5 minutes, en secouant le récipient de temps à autre pour qu'ils cuisent uniformément. Lorsque les rognons sont cuits – ils doivent cependant rester roses à l'intérieur –, salez, poivrez et sortez-les de la poêle. Jetez la graisse de cuisson, remettez les rognons dans la poêle, versez le cognac hors du feu et flambez. Reposez la poêle sur le feu et déglacez avec la crème fraîche. Raclez bien les sucs avec une spatule en bois.

4. Au moment de servir, égouttez les pommes de terre, disposez-les dans les assiettes, ajoutez les rognons et leur sauce et accompagnez du beurre persillé coupé en rondelles.

Fruits rafraîchis à la tunisienne

Pour 4 personnes :
1 banane
2 oranges bien juteuses
1 ananas
1 grand verre de curaçao
100 g de sucre semoule
4 cerneaux de noix

Préparation et cuisson : 10 mn.

1. Dans une casserole sur feu vif, mélangez le curaçao, le sucre et 1 dl d'eau. Lorsque s'est formé un léger sirop, ôtez du feu et laissez tiédir.

2. Épluchez l'ananas, coupez-le en quatre, ôtez le cœur s'il est dur et coupez la pulpe en petits dés. Pelez les oranges à vif, séparez les quartiers et ôtez les pépins ; recueillez le jus.

3. Épluchez la banane et coupez-la en rondelles. Mélangez tous les fruits avec le sirop et le jus d'orange recueilli. Versez le tout dans un saladier et placez au frais en remuant de temps à autre.

4. Au moment de servir, répartissez les fruits dans des assiettes à dessert, arrosez d'un peu de sirop et décorez avec les cerneaux.

Menu chic

Petites salades mélangées à la périgourdine

Pour 4 personnes :
200 g de mesclun
3 branches de cerfeuil, 3 branches d'estragon et 3 branches de ciboulette
100 g de magret de canard fumé en tranches
100 g de gésiers confits
50 g de foie gras (facultatif)
Pour la vinaigrette :
1 cuillerée à soupe de vinaigre de xérès
1 cuillerée à soupe d'huile d'olive
2 cuillerées à soupe d'huile d'arachide
Sel, poivre

Préparation et cuisson : 12 mn.

1. Lavez les salades, essorez-les et versez-les dans un saladier. Préparez la vinaigrette en émulsionnant le vinaigre de xérès, les deux huiles, le sel et le poivre.

2. Effeuillez toutes les herbes et ciselez-les. Faites cuire, dans une grande poêle, les magrets de canard et les gésiers confits pendant 3 à 4 minutes, en les retournant en cours de cuisson. Coupez le foie gras en tranches extrêmement fines et réservez-les au frais.

3. Sortez les magrets de la poêle, posez-les sur une planche en bois et débarrassez-les de la partie grasse ; versez-les sur la salade. Égouttez les gésiers, posez-les sur la planche et coupez-les en tranches, que vous ajoutez à la salade.

4. Prélevez 1 cuillerée à soupe de graisse de cuisson de la poêle et ajoutez-la à la vinaigrette ; émulsionnez de nouveau, puis versez sur la salade et mélangez le tout.

5. Au dernier moment, ajoutez les herbes ciselées et les tranches de foie gras réservées.

Grenadins de veau au porto et au zeste de citron

Pour 4 personnes :
8 grenadins de veau de 1 cm d'épaisseur
4 cuillerées à soupe de crème fraîche
2 cuillerées à soupe de porto
1/2 citron non traité
20 g de beurre
Sel, poivre

Préparation et cuisson : 8 mn.

1. Faites fondre le beurre dans une grande poêle et mettez-y à revenir les grenadins environ 2 minutes de chaque côté, jusqu'à ce qu'ils soient juste dorés. Versez alors la crème fraîche et le porto, salez, poivrez et faites réduire la sauce.

2. Préchauffez les assiettes. Râpez le zeste du demi-citron et ajoutez-le à la sauce. Remuez bien le tout.

3. Faites glisser 2 grenadins sur chaque assiette, nappez-les de leur sauce et servez-les avec une purée de chou-fleur ou de céleri surgelée, réchauffée au four à micro-ondes.

Petits sablés à la confiture de framboise

Pour 4 personnes :
150 g de pâte sablée surgelée
20 g de beurre
60 g de confiture de framboise
30 g de sucre glace
30 g de poudre d'amande

Préparation et cuisson : 10 mn.

1. Allumez le four à th. 7. Mettez-y à décongeler la pâte surgelée. Lorsqu'elle est molle, étalez-la au rouleau et découpez 8 petits ronds de 6 cm de diamètre avec un emporte-pièce. Dans 4 d'entre eux, ménagez à l'intérieur un trou de 3 cm de diamètre.

2. Beurrez légèrement la lèche-frite de votre four et posez-y les petits sablés ; laissez-les cuire à peine 10 minutes à th. 6 : ils doivent être dorés.

3. Mélangez le sucre glace et la poudre d'amande ; tamisez l'ensemble au travers d'un chinois.

4. Étalez la confiture de framboise sur les 4 ronds pleins, posez dessus les 4 ronds troués et saupoudrez du mélange sucre glace-poudre d'amande.

Notre conseil
Servi tiède avec une boule de sorbet à la framboise, c'est encore plus raffiné.

Menu chic

Asperges au crabe

Pour 4 personnes :
600 g d'asperges vertes

1 petite boîte de crabe

2 œufs

Quelques feuilles de laitue

Pour la vinaigrette :
3 cuillerées à soupe d'huile de tournesol

1 cuillerée à café de moutarde

1 cuillerée à soupe de vinaigre de vin ou de cidre

1 pincée de safran

Sel, poivre

Préparation et cuisson : 10 mn.

1. Faites durcir les œufs à l'eau bouillante pendant 7 minutes. Pendant ce temps, nettoyez les asperges : coupez leur bout terreux mais ne les pelez pas – dans les asperges vertes, tout se mange. Faites-les cuire 3 minutes à l'autocuiseur ; égouttez-les et mettez-les au frais.

2. Mélangez la moutarde et le vinaigre, puis émulsionnez avec l'huile ; salez et poivrez, ajoutez le safran et versez en saucière.

3. Égouttez le crabe et émiettez-le en ôtant les cartilages. Disposez les feuilles de laitue sur les assiettes, répartissez dessus la chair de crabe, entourez de quelques asperges et arrosez d'un peu de vinaigrette.

4. Passez les œufs sous l'eau fraîche et écalez-les ; coupez-les en quatre. Disposez 2 quartiers sur chaque assiette et servez avec le reste de vinaigrette en saucière.

Brochettes de filet de bœuf mariné

Pour 4 personnes :
600 g de filet de bœuf coupé en petits cubes

Pour la marinade :
4 cuillerées à soupe d'huile d'olive

1 cuillerée à soupe de vinaigre de vin

1 cuillerée à café de ketchup

1 cuillerée à café de moutarde

1 cuillerée à café de miel liquide

2 gouttes de tabasco

1 échalote

1 gousse d'ail

1 branche de thym frais

Sel, poivre

Préparation et cuisson : 12 mn (3 ou 4 heures à l'avance).

1. Plusieurs heures à l'avance, préparez la marinade. Dans un grand récipient creux, versez l'huile, le vinaigre, le ketchup, la moutarde, le miel, le tabasco, l'échalote et l'ail pelés et hachés finement, la branche de thym émiettée, du sel et du poivre. (Si vous ne pouvez pas préparer la marinade à l'avance, faites chauffer ce mélange sur feu doux ; la chaleur exhale plus vite les arômes.) Mettez-y à mariner la viande.

2. Peu avant de servir, faites chauffer un gril en fonte ou, mieux, un barbecue. Égouttez les morceaux de viande et enfilez-les sur des piques à brochette. Faites-les griller sur la plaque ou au barbecue, en les retournant et en les arrosant de temps à autre de marinade. Servez quand les brochettes sont cuites à votre goût.

Ananas à la crème

Pour 4 personnes :
1 ananas bien mûr

1 petit verre à liqueur de rhum

3 jaunes d'œufs

3 cuillerées à soupe de crème fraîche épaisse

2 cuillerées à soupe de sucre vanillé

100 g d'amandes effilées

Préparation : 8 mn.

1. Épluchez soigneusement l'ananas, coupez-le en quatre, ôtez le cœur et les yeux. Détaillez-le en lamelles que vous placez au fur et à mesure dans des récipients de forme oblongue, en essayant de reconstituer les quartiers. A défaut, disposez les lamelles d'ananas en étoile sur un grand plat creux. Arrosez-les de rhum.

2. Montez la crème fraîche en chantilly à l'aide d'un fouet métallique. Battez ensemble les jaunes d'œufs et le sucre vanillé jusqu'à ce qu'ils blanchissent. Mélangez-les à la chantilly jusqu'à obtention d'une crème lisse.

3. Étalez cette crème sur les tranches d'ananas et saupoudrez d'amandes effilées. Servez très frais.

Menu chic

Julienne de céleri aux truffes

Pour 4 personnes :
1 boule de céleri
2 cuillerées à soupe de jus de citron
1 truffe fraîche ou en boîte
200 g de mâche en sachet
3 cuillerées à soupe d'huile de tournesol
1 cuillerée à café de vinaigre balsamique
Sel, poivre

Préparation : 10 mn.

1. Grattez le céleri avec un petit couteau bien aiguisé. Coupez-le en gros cubes et mettez-les dans le bol d'un robot. Actionnez l'appareil jusqu'à obtention d'une fine julienne. Ajoutez-y le jus de citron.

2. Râpez la truffe avec un couteau économe ; répartissez les lamelles et le jus dans 4 ramequins. Recouvrez avec la julienne de céleri, tassez bien et fermez hermétiquement les ramequins avec du papier d'aluminium, pour que les divers arômes se mêlent intimement.

3. Préparez la vinaigrette : émulsionnez au fouet l'huile, le vinaigre, du sel et du poivre.

4. Sur un grand plat de service, formez un lit de pétales de mâche et retournez d'un coup sec les ramequins pour qu'ils se démoulent, laissant apparaître en surface les lamelles de truffe. Arrosez de vinaigrette et placez au frais jusqu'au moment de servir.

Viande séchée à l'huile d'olive et pommes de terre en robe des champs

Pour 4 personnes :
400 g de viande des Grisons
100 g de parmesan bien sec
1 citron
1 dl d'huile d'olive
2 cuillerées à soupe de basilic frais finement haché (ou 1 cuillerée à soupe de basilic séché)
4 petites pommes de terre
1 cuillerée à soupe de gros sel
Sel, poivre

Préparation et cuisson : 10 mn.

1. Préchauffez votre four à th. 7. Lavez les pommes de terre sans les peler, séchez-les et enveloppez-les individuellement dans une feuille de papier d'aluminium. Fermez bien et enfournez-les pour 10 minutes environ.

2. Pendant ce temps, étalez les tranches de viande séchée sur les assiettes. A l'aide d'un couteau économe, râpez des copeaux de parmesan au-dessus de la viande. Versez l'huile d'olive en filet, salez, poivrez et saupoudrez de basilic. Coupez le citron en quatre et placez 1 quartier sur chaque assiette.

3. Apportez sur la table en même temps que les pommes de terre en robe des champs, juste accompagnées avec du gros sel.

Pommes au miel

Pour 4 personnes :
4 belles pommes (genre reinette)
2 cuillerées à soupe de jus de citron
4 cuillerées à soupe de miel liquide d'acacia ou d'oranger
1 sachet de coulis de framboise surgelé

Préparation et cuisson : 10 mn.

1. Allumez le four à th. 6. Pelez les pommes, coupez-les en deux dans le sens de la hauteur, ôtez le cœur et les pépins. Émincez-les finement en arrêtant la lame du couteau un peu avant la base, afin de maintenir les lamelles de pomme attachées entre elles : elles doivent former une sorte d'éventail. Humectez-les aussitôt de jus de citron pour éviter qu'elles ne noircissent.

2. Disposez très délicatement les pommes dans un plat creux allant au four. Mettez-les à gratiner pendant 3 à 4 minutes.

3. Pendant ce temps, faites décongeler le coulis de framboise en plongeant le sachet dans l'eau chaude.

4. Fluidifiez le miel en le faisant légèrement chauffer dans une petite casserole, sur feu doux. Sortez les pommes du four et badigeonnez-les au pinceau de miel liquide, puis replacez-les dans le four pour qu'elles caramélisent.

5. Versez un peu de coulis de framboise dans le fond de chaque assiette à dessert, disposez 2 demi-pommes caramélisées et servez, tiède de préférence.

Menu chic

Velouté madrilène

Pour 4 personnes :

1 boîte de 125 g de tomates pelées
4 dl de lait
1 dl d'huile d'olive
2 cuillerées à soupe de crème fraîche
1 pincée de sel de céleri
4 branches de basilic frais

Préparation : 5 mn.

1. Dans le bol d'un robot électrique, versez les tomates, le lait, l'huile d'olive et le sel de céleri ; actionnez l'appareil pour obtenir une soupe légèrement épaisse et très onctueuse.

2. Versez immédiatement cette soupe dans des assiettes creuses que vous placez au frais. Effeuillez le basilic et ciselez-le très finement. Battez légèrement la crème fraîche.

3. Sortez les assiettes de velouté du réfrigérateur, arrosez-les d'un peu de crème fraîche et parsemez de basilic. Servez aussitôt.

Notre conseil

Cette version ultrarapide du velouté madrilène gagnera en saveur si vous utilisez, en saison, des tomates fraîches, que vous aurez ébouillantées pour les peler plus facilement, puis dont vous aurez ôté les pépins en les pressant entre vos mains.

Bœuf à la ficelle

Pour 4 personnes :

4 pavés de bœuf de 150 g chacun, sans barde et ficelés
2 branches de thym
1 feuille de laurier
2 tablettes de concentré de bœuf
1 os à moelle
1 cuillerée à soupe de gros sel, poivre

Préparation et cuisson : 15 mn.

1. Dans une grande casserole, délayez les tablettes de concentré dans 0,5 l d'eau froide. Ajoutez les branches de thym et la feuille de laurier, puis portez à ébullition. Laissez bouillir pendant 4 minutes. Pendant ce temps, bouchez les extrémités de l'os à moelle avec le gros sel et enveloppez-le dans une mousseline.

2. Plongez l'os à moelle dans le bouillon et relancez l'ébullition ; ajoutez les pavés de bœuf et poursuivez la cuisson 4 à 5 minutes au maximum si vous désirez une viande bleue. Si vous la préférez plus cuite, attendez 1 ou 2 minutes supplémentaires, mais pas plus, car le filet est un morceau qui se déguste saignant.

3. Préchauffez les assiettes. Sortez l'os de sa mousseline et extrayez-en la moelle à l'aide d'un couteau pointu. Coupez la moelle en petits morceaux et faites-la réchauffer rapidement dans une petite casserole sur feu doux.

4. Posez la viande sur les assiettes et enduisez chaque pavé d'un peu de moelle. Poivrez légèrement et servez aussitôt.

Coupe « rose »

Pour 4 personnes :

1 sachet de coulis de framboise surgelé
25 cl de sorbet à la framboise
150 g de framboises
100 g de crème fraîche liquide
2 cuillerées à soupe de sucre glace
2 meringues achetées chez le pâtissier

Préparation : 10 mn.

1. Faites décongeler le coulis de framboise en plongeant le sachet dans de l'eau bouillante ou en le plaçant quelques minutes au micro-ondes à faible puissance.

2. Montez la crème fraîche en chantilly légère avec un batteur électrique. Ajoutez-y le sucre glace et faites monter encore légèrement. La chantilly ne doit pas être trop ferme.

3. Dans des coupes individuelles, disposez de petites billes de sorbet à la framboise ; ajoutez les framboises fraîches et nappez de coulis. Avec une petite cuillère ou, mieux, une poche à douille, décorez de chantilly, puis servez avec les meringues détaillées en morceaux.

Notre conseil

Vous pouvez également préparer une coupe « orange » avec de la mangue ou du melon, du sorbet au fruit de la Passion, 1 sachet de coulis d'abricot surgelé et 4 oreillons d'abricot secs, ou encore une coupe « rouge », avec du sorbet à la fraise, 100 g de fraises et 1 sachet de coulis de cassis.

Menu chic

Profiteroles au foie gras

Pour 4 personnes :
12 petits choux de pâtisserie
6 petites tranches de foie gras mi-cuit

Préparation et cuisson : 7 mn.

1. Préchauffez votre four à th. 6. Placez les petits choux sur la lèche-frite et faites-les réchauffer durant 3 minutes. Ils doivent rester bien tendres.

2. Coupez les tranches de foie gras en deux.

3. Sortez les choux du four et fourrez-les de foie gras. Enfournez-les à nouveau 1 minute. Servez dès la sortie du four, sur une salade de haricots verts frais, par exemple.

Notre conseil

Vous pouvez remplacer les petits choux par des brioches. Dans ce cas, ôtez les chapeaux, creusez légèrement les brioches, farcissez-les de foie gras et replacez les chapeaux avant de passer les brioches au four.

Brouillade d'œufs aux truffes

Pour 4 personnes :
8 œufs
1 petite truffe, fraîche si possible (à défaut, en conserve)
3 cuillerées à soupe de lait
50 g de gruyère râpé
30 g de beurre
Sel, poivre

Préparation et cuisson : 15 mn (1 heure à l'avance).

1. Dans une petite casserole, faites tiédir le lait ; ajoutez-y le fromage râpé. Cassez les œufs dans une terrine, salez et poivrez-les, battez-les en omelette légère. Ajoutez le lait au fromage, battez de nouveau vigoureusement.

2. Râpez la truffe, à l'aide d'un couteau économe par exemple, au-dessus de l'omelette (ajoutez le jus s'il s'agit d'une truffe en conserve).

3. Faites fondre le beurre dans une grande poêle, versez-y les œufs et laissez cuire sur feu doux pendant 10 minutes à peine. Servez aussitôt, par exemple avec une salade verte assaisonnée à l'huile de truffe.

Notre conseil

A défaut de truffe, vous pouvez utiliser des trompettes de la mort ou des morilles détaillées en petits morceaux.

Mousse de fraises des bois au champagne

Pour 4 personnes :
250 g de fraises des bois
2 coupes de champagne
80 g de sucre
1 citron vert non traité
4 feuilles de menthe

Préparation : 8 mn.

1. Râpez le zeste du citron, puis pressez-en le jus.

2. Dans le bol d'un mixer, mettez les fraises des bois avec le champagne, le sucre, le zeste et le jus de citron. Actionnez l'appareil pendant 30 à 40 secondes, jusqu'à ce que la mousse paraisse bien lisse et onctueuse.

3. Versez cette mousse dans 4 verres à pied, que vous placez au congélateur 1 heure avant de servir. Au dernier moment, décorez chaque verre d'une feuille de menthe.

Notre conseil

Les framboises, les fraises, voire les pêches conviennent également parfaitement à cette préparation.

Menu chic

Soupe de concombre au poivron

Pour 4 personnes :
1 concombre

0,5 l de bouillon de volaille froid

1 poivron rouge

100 g de crème fraîche

1 jaune d'œuf

2 cuillerées à soupe de jus de citron

2 branches de cerfeuil ou de coriandre

Préparation : 10 mn.

1. Lavez le concombre, pelez-le en laissant quelques rubans de peau verte, coupez-le en quatre et ôtez la partie centrale contenant les graines. Détaillez-le en morceaux, que vous placez dans le bol d'un robot. Mixez pour le réduire en purée, puis ajoutez le bouillon de volaille. Actionnez de nouveau l'appareil, afin que le liquide soit bien homogène.

2. Passez la soupe au tamis, en pressant la pulpe pour en extraire tout le jus. Versez dans des assiettes creuses et placez au réfrigérateur.

3. Lavez le poivron, essuyez-le, ouvrez-le en deux, ôtez les graines et les parties blanches ; détaillez la chair en fines lanières.

4. Au moment de servir, battez la crème fraîche avec le jaune d'œuf cru et le jus de citron, répartissez sur les assiettes de soupe et décorez avec les lanières de poivron. Effeuillez un peu de cerfeuil ou de coriandre au dernier moment.

Magrets de canard caramélisés aux pêches

Pour 4 personnes :
2 magrets de canard

2 pêches

1 cuillerée à soupe de miel d'acacia liquide

Sel, poivre

Préparation et cuisson : 15 mn.

1. Retirez la peau grasse du canard. Pelez les pêches, coupez-les en deux et ôtez leur noyau.

2. Chauffez une poêle à revêtement antiadhésif, frottez-la avec la peau grasse du canard et faites-y saisir les magrets sur les deux faces.

3. Préchauffez les assiettes et une saucière. Sortez les magrets de la poêle, coupez-les en tranches pas trop épaisses que vous remettez au fur et à mesure dans la poêle pour qu'elles continuent leur cuisson. Lorsque les tranches sont dorées, reconstituez les magrets du mieux possible et placez-les dans les assiettes. Salez et poivrez légèrement.

4. Déglacez la poêle avec le miel. Ajoutez les demi-pêches et faites-les sauter sur feu vif en les retournant une fois. Lorsqu'elles sont caramélisées, disposez-les à côté des magrets. Recueillez le jus ; servez-le dans la saucière.

Ananas au kirsch

Pour 4 personnes :
2 petits ananas de la Réunion

2 cuillerées à soupe de sucre vanillé

1 petit verre de très bon kirsch

Préparation : 5 mn.

1. Épluchez les petits ananas et coupez-les en fines tranches, que vous disposez dans un plat creux. (Dans les petits ananas de la Réunion, tout se mange. C'est un net avantage, notamment pour ce qui est du temps de préparation ! Cela dit, ils sont plus chers...)

2. Poudrez-les de sucre vanillé et arrosez-les de kirsch. Recouvrez le plat d'une feuille d'aluminium et placez au frais jusqu'au moment de servir.

Notre conseil
Cette recette très simple est également excellente avec des pêches ou des fraises. Vous pouvez aussi remplacer le kirsch par du muscat.

Menu chic

Sorbet aux œufs de saumon

Pour 4 personnes :
100 g d'œufs de saumon
25 cl de crème fraîche liquide
2 échalotes grises
50 g de saumon fumé
1 branche d'aneth
4 tranches de pain de campagne
Sel, poivre

**Préparation : 8 mn
(1 heure à l'avance).**

1. Pelez et émincez finement les échalotes ; mixez-les avec les œufs de saumon, la crème fraîche, du sel et du poivre.

2. Versez cette mousse dans de grands verres à pied, et placez-les au congélateur 1 heure avant de servir.

3. Au moment de servir, coupez le saumon fumé en fines lanières, parsemez-les sur les coupes et décorez d'une feuille d'aneth ciselé. Faites griller les tranches de pain et servez-les en accompagnement.

Colin aux épinards

Pour 4 personnes :
1 beau colin découpé en darnes par votre poissonnier
1/2 verre de vin blanc
50 g de beurre + 1 noix
30 g de beurre mou
250 g d'épinards en branches surgelés ou en conserve
2 belles tomates
Sel, poivre

Préparation et cuisson : 15 mn.

1. Préchauffez votre four à th. 6. Faites cuire les épinards dans une petite casserole sur feu doux ou, mieux, au four à micro-ondes. Ajoutez 50 g de beurre et mélangez bien. Maintenez au chaud. Préchauffez les assiettes.

2. Beurrez un plat allant au four. Étalez-y les darnes de colin, mouillez avec le vin blanc, ajoutez la même quantité d'eau, salez, poivrez et enfournez pendant 5 à 7 minutes en arrosant souvent le poisson du liquide de cuisson.

3. Ébouillantez les tomates, pelez-les et épépinez-les ; coupez-les en petits dés.

4. Au moment de servir, étalez un lit d'épinards sur les assiettes préchauffées, posez dessus une darne de colin. Recueillez le jus de cuisson et montez-le légèrement avec du beurre mou. Versez cette sauce sur le colin et, au dernier moment, ajoutez les petits cubes de tomate crue.

Melon aux fraises

Pour 4 personnes :
1 beau melon bien juteux
2 petites barquettes (250 g) de fraises
1 petit verre à liqueur de très bon kirsch
4 feuilles de menthe

Préparation : 7 mn.

1. Ouvrez le melon en deux. Avec une petite cuillère, retirez soigneusement les pépins. Évidez le melon à l'aide d'une cuillère à boules (à olives, par exemple). Replacez les billes de melon dans les demi-écorces et arrosez-les avec le kirsch.

2. Essuyez délicatement les fraises. Au besoin, coupez-les en morceaux de même taille. Ajoutez-les aux billes de melon. Couvrez chaque demi-melon d'une feuille de papier d'aluminium et placez au réfrigérateur.

3. Au moment de servir, retirez le papier d'aluminium. Décorez d'une feuille de menthe.

Notre conseil
En saison, ce dessert sera encore meilleur si vous utilisez des fraises des bois.

Menu chic

Coquilles Saint-Jacques et thon frais marinés

Pour 4 personnes :

6 noix de coquilles Saint-Jacques nettoyées
250 g de thon frais émincé très finement par votre poissonnier
4 cuillerées à soupe d'huile d'olive
2 citrons verts
4 branches d'aneth
Sel, poivre du moulin

Préparation : 5 mn.

1. Essuyez les noix de coquilles Saint-Jacques et émincez-les très finement. Disposez-les au centre des assiettes et entourez-les de lamelles de thon frais. Mouillez avec le jus des citrons verts. Salez très légèrement et donnez 2 ou 3 tours de moulin. Versez ensuite l'huile en filet. Placez les assiettes dans un endroit frais (mais pas au réfrigérateur) jusqu'au moment de servir.

2. Ciselez les feuilles d'aneth et répartissez-les au dernier moment sur les assiettes.

Notre conseil

Accompagnez de toasts de pain de campagne grillés, frottés à l'ail et saupoudrés de basilic séché en poudre.

Queues de langoustines au safran

Pour 4 personnes :

16 belles queues de langoustines
50 g de beurre mou + 1 noix
1 pincée de safran
1 cuillerée à café de jus de citron
2 cuillerées à soupe de persil haché
8 petits oignons nouveaux
Sel

Préparation et cuisson : 15 mn.

1. Malaxez bien le beurre mou avec le safran, du sel et le jus de citron, puis laissez à température ambiante.

2. Allumez le gril du four. Faites fondre la noix de beurre dans un plat allant au four. Placez-y les queues de langoustines et faites-les cuire sous le gril sur toutes leurs faces pendant 4 à 5 minutes au maximum ; elles doivent rester tendres à l'intérieur.

3. Pelez les petits oignons nouveaux, laissez-les entiers et faites-les dorer légèrement avec les langoustines. Remuez souvent pour éviter qu'ils n'attachent.

4. Lorsque les langoustines sont juste cuites, enduisez-les généreusement de beurre au safran et replacez le plat dans le four pour que le beurre fonde ; battez celui-ci à la fourchette pour bien l'émulsionner et grattez les sucs au fond du plat de cuisson avec une spatule en bois.

5. Répartissez les langoustines et les oignons sur les assiettes, parsemez le tout de persil haché et servez immédiatement.

Gratin de fruits de saison

Pour 4 personnes :

400 g de fruits de saison épluchés (framboises, fraises, myrtilles et cerises en été, prunes, raisins et poires en automne, pommes, bananes et mandarines en hiver, abricots, pêches et fraises au printemps...)
4 cuillerées à soupe de sucre vanillé
125 g de crème fraîche (ou de mascarpone)
2 jaunes d'œufs
1 verre de lait
20 g de beurre

Préparation et cuisson : 10 mn.

1. Préparez les fruits : il doit vous en rester 400 g après cette opération. Détaillez les plus gros en morceaux.

2. Préchauffez votre four à th. 6. Beurrez généreusement un moule à gratin et répartissez-y les fruits. Saupoudrez de sucre vanillé. Mélangez la crème fraîche (ou le mascarpone) avec les jaunes d'œufs, délayez avec le lait et fouettez pour obtenir une consistance crémeuse. Versez sur les fruits.

3. Enfournez et laissez caraméliser la surface pendant 3 à 4 minutes. Sortez le plat du four et laissez tiédir à température ambiante.

Menu chic

Salade de saint-jacques à la mâche

Pour 4 personnes :

8 noix de coquilles Saint-Jacques

200 g de mâche lavée et essorée

*4 cuillerées à soupe
d'huile d'olive*

*1 cuillerée à soupe de vinaigre
balsamique ou de xérès*

Sel, poivre

Préparation et cuisson : 8 mn.

1. Essuyez les noix de coquilles Saint-Jacques et émincez-les en très fines rondelles. Faites chauffer 1 cuillerée d'huile d'olive dans une grande poêle antiadhésive et mettez-y à revenir les rondelles de saint-jacques, en les retournant avant qu'elles ne se colorent.

2. Disposez les feuilles de mâche dans les assiettes, placez au centre les rondelles de saint-jacques, salez et poivrez.

3. Préparez la vinaigrette : émulsionnez au fouet le restant d'huile d'olive avec le vinaigre ; versez en filet sur la salade et laissez mariner jusqu'au moment de passer à table.

Bœuf Strogonoff

Pour 4 personnes :

*500 g de filet de bœuf coupé
en cubes par votre boucher*

2 beaux oignons

1 cuillerée à café de paprika

*2 cuillerées à soupe
de concentré de tomate*

250 g de crème fraîche

Sel, poivre

**Préparation et cuisson :
15 mn (30 minutes à l'avance).**

1. Épluchez les oignons et émincez-les en fines rondelles.

2. Dans un saladier, mélangez le bœuf et les oignons, le paprika, le concentré de tomate, du sel et du poivre. Couvrez d'une feuille de papier d'aluminium et laissez mariner 30 minutes.

3. Dans une sauteuse sur feu moyen, faites revenir les cubes de viande et laissez-les cuire durant 10 minutes au maximum (ils doivent rester roses à l'intérieur). Ajoutez la crème fraîche, mélangez bien, servez aussitôt, avec des pommes de terre cuites à la vapeur, par exemple.

Marrons glacés aux macarons

Pour 4 personnes :

200 g de débris de marrons glacés

4 beaux macarons un peu secs

4 marrons glacés entiers

Préparation : 7 mn.

1. Dans le bol d'un robot, mettez les débris de marrons glacés. Actionnez brièvement l'appareil : il faut qu'ils soient juste pulvérisés et non réduits en purée. Réservez.

2. Ouvrez les macarons en deux dans le sens horizontal. A l'aide d'une petite cuillère, creusez légèrement 4 demi-macarons : mettez ce que vous recueillez dans le bol du mixer. Ajoutez les 4 demi-macarons restants après les avoir cassés à la main. Actionnez de nouveau le mixer brièvement.

3. Disposez les demi-macarons évidés sur les assiettes à dessert, répartissez dessus la « chapelure » de marrons et de macarons, ornez d'un marron glacé entier et placez au frais jusqu'au moment de servir.

Notre conseil
Pour gagner du temps, vous pouvez mettre ensemble les débris de marrons et les demi-macarons dans le bol du mixer, mais l'effet sera différent.

Menu chic

Salade de lotte aux épinards

Pour 4 personnes :
1 morceau de queue de lotte d'environ 400 g
2 citrons verts
125 g de pousses d'épinards
1 belle tomate mûre mais ferme
3 cuillerées à soupe d'huile d'olive
2 feuilles de basilic
4 tiges de ciboulette
Quelques branches de cerfeuil
Sel, poivre

Préparation : 5 mn.

1. Émincez très finement la queue de lotte ou demandez à votre poissonnier de le faire. Disposez-la sur un grand plat creux. Pressez les citrons verts et versez le jus sur la lotte : elle va cuire dans le citron. Salez et poivrez très légèrement.

2. Préparez la sauce : ébouillantez la tomate, pelez-la, coupez-la en deux, épépinez-la et détaillez-la en tout petits dés, que vous mettez dans une jatte. Versez dessus l'huile d'olive. Hachez très finement la ciboulette, le basilic et le cerfeuil, et ajoutez-les aux dés de tomate ; salez et poivrez très légèrement.

3. Nettoyez les pousses d'épinards et séchez-les avec du papier absorbant. Épongez également la lotte sur du papier absorbant.

4. Disposez sur les assiettes un lit de pousses d'épinards. Dressez l'éminçé de lotte au centre et assaisonnez de la sauce aux dés de tomate.

Fricassée de ris de veau au porto

Pour 4 personnes :
500 g de ris de veau dépouillé et coupé en petits cubes
2 belles tranches de foie gras
20 g de beurre
125 g de crème fraîche
1 verre à liqueur de porto
1 cuillerée à soupe de vinaigre
4 petites pommes de terre nouvelles
Sel, poivre

Préparation et cuisson : 10 mn.

1. Faites chauffer de l'eau salée et additionnée de vinaigre. Lorsqu'elle frémit, plongez-y les cubes de ris de veau et laissez-les cuire 7 minutes.

2. Pendant ce temps, pelez et lavez les pommes de terre. Portez une casserole remplie d'eau salée à ébullition et plongez-y les pommes de terre coupées en quatre pour qu'elles cuisent plus vite.

3. Faites fondre le beurre dans une grande poêle. Égouttez les cubes de ris de veau, séchez-les sur du papier absorbant et versez-les dans la poêle. Laissez-les revenir pendant 1 à 2 minutes pour qu'ils grésillent, puis ajoutez le foie gras détaillé en petits dés et laissez-le fondre. Mélangez le porto avec la crème fraîche et versez dans la poêle. Faites réduire légèrement, salez et poivrez.

4. Au moment de servir, égouttez les pommes de terre et dressez-les sur un plat avec les ris de veau et leur sauce.

Soufflé aux fruits de la Passion

Pour 4 personnes :
3 cl de jus de fruit de la Passion
2 œufs entiers
1 blanc d'œuf
100 g de sucre en poudre
1 sachet de sucre vanillé
30 g de beurre
1 pincée de sel

Préparation et cuisson : 15 mn.

1. Cassez les œufs entiers et séparez les blancs des jaunes. Fouettez les jaunes avec le sucre en poudre et le sucre vanillé jusqu'à ce que le mélange blanchisse. Secouez bien le jus de fruit et versez-en la moitié dans la préparation œufs-sucre. Mélangez à nouveau.

2. Montez les 3 blancs en neige ferme avec 1 pincée de sel. Placez les deux récipients au frais. Beurrez généreusement un moule à soufflé.

3. Environ 20 minutes avant de servir, préchauffez le four à th. 6. Remélangez activement la préparation œufs-sucre. Fouettez à nouveau les blancs en neige s'ils sont un peu retombés et incorporez-les à la préparation. Versez dans le moule à soufflé et enfournez pour une douzaine de minutes. Surveillez la cuisson : le soufflé doit dorer et bien monter.

4. Faites tiédir le reste du jus de fruit de la Passion et servez-le à part, en saucière, avec le soufflé.

Menu chic

Fondue de brocolis aux bouquets roses

Pour 4 personnes :

300 g de brocolis

100 g de bouquets roses décortiqués

Quelques tiges de ciboulette

1 bol de mayonnaise

1 cuillerée à soupe de crème fraîche

1 cuillerée à soupe de jus de citron

Préparation et cuisson : 10 mn.

1. Faites cuire les bouquets de brocolis à la vapeur pendant 5 minutes environ ; ils doivent rester croquants. Laissez-les tiédir.

2. Battez la mayonnaise avec la crème fraîche et le jus de citron ; ajoutez la ciboulette ciselée. Versez la mayonnaise dans un joli bol.

3. Dans un grand plat creux, disposez les bouquets de brocolis et les crevettes roses ; posez au centre le bol de mayonnaise. Chacun se servira à l'aide d'une fourchette à fondue.

Tagliatelles au foie gras

Pour 4 personnes :

12 nids de tagliatelles

2 tranches de foie gras cru ou cuit

2 cuillerées à soupe de crème fraîche

1 pincée de noix muscade râpée

1 cuillerée à soupe d'huile

Sel, poivre du moulin

Préparation et cuisson : 10 mn.

1. Portez une grande quantité d'eau à ébullition. Salez, poivrez et ajoutez l'huile. Jetez-y les tagliatelles et laissez-les cuire « al dente » pendant 5 à 7 minutes, selon les indications portées sur le paquet.

2. Faites chauffer la crème fraîche, ajoutez la noix muscade râpée et donnez quelques tours de moulin à poivre.

3. Dans une poêle, faites sauter rapidement les tranches de foie gras. Salez et poivrez. Découpez-les en morceaux.

4. Égouttez les tagliatelles, ajoutez-leur la crème fraîche bien chaude, remuez et parsemez de débris de foie gras. Servez aussitôt.

Ananas glacé aux meringues

Pour 4 personnes :

2 petits ananas

4 cuillerées à soupe de miel (ou 50 g de sucre glace)

2 cuillerées à soupe de très bon kirsch

4 meringues

Préparation et cuisson : 10 mn.

1. Coupez les ananas en deux dans le sens de la longueur ; évidez-les à l'aide d'une petite cuillère ; retirez le cœur s'il est dur. Coupez la chair en petits cubes, puis replacez ceux-ci dans les demi-écorces. Récupérez le jus des ananas au cours des différentes opérations.

2. Dans une petite casserole, faites chauffer le miel (ou le sucre) avec 2 cuillerées à soupe d'eau, le kirsch et le jus d'ananas recueilli. Lorsque le liquide devient sirupeux, éteignez le feu et laissez tiédir dans un endroit frais.

3. Arrosez les cubes d'ananas avec le sirop, remuez délicatement et placez les demi-écorces dans le réfrigérateur jusqu'au moment de servir.

4. Sortez les demi-ananas et servez-les avec les meringues coupées en deux.

Notre conseil
Si vous disposez d'un peu plus de temps, émiettez les meringues en les passant rapidement au mixer et répartissez-les sur les cubes d'ananas : c'est plus décoratif.

Menu à thème

Concombre au yaourt « Tarator »

Pour 4 personnes :
1 concombre
1 gousse d'ail
2 yaourts
1 cuillerée à soupe de crème fraîche aigre ou additionnée de 1 cuillerée à café de jus de citron
2 cuillerées à soupe de menthe fraîche ciselée
1 cuillerée à soupe de persil haché
1 cuillerée à soupe d'huile d'olive
1/2 poivron rouge
Sel, poivre

Préparation : 7 mn.

1. Pelez le concombre, ouvrez-le en deux, ôtez les graines et coupez la pulpe en morceaux. Pelez l'ail et hachez-le assez grossièrement au couteau.

2. Dans le bol d'un robot, mettez les morceaux de concombre, l'ail, les yaourts, la crème fraîche, 1 cuillerée à soupe de menthe, le persil, l'huile d'olive, du sel et du poivre. Actionnez l'appareil jusqu'à obtention d'une purée. Versez la préparation dans des coupelles individuelles et placez-les au frais.

3. Lavez le demi-poivron, ôtez les graines et les parties blanches, détaillez-le en fines lanières et placez-les au frais.

4. Au moment de servir, disposez les lanières de poivron en rosace sur les coupelles et décorez de menthe ciselée.

Notre conseil
Si vous disposez d'un peu plus de temps, plongez le demi-poivron épépiné dans de l'eau bouillante, puis pelez-le : il sera plus digeste.

Pilaf de crabe

Pour 4 personnes :
1 sachet de riz pour 4 personnes
1 dose de safran
40 g de beurre
1 boîte de crabe émietté
Sel, poivre (facultatif)

Préparation et cuisson : 18 mn.

1. Faites cuire le riz pilaf à couvert en suivant les indications données sur le paquet, et en ajoutant 20 g de beurre et le safran à l'eau de cuisson salée.

2. Pendant que le riz cuit, égouttez le crabe et pressez-le légèrement pour en extraire toute l'eau. (Si vous utilisez du crabe surgelé, faites-le décongeler en plongeant le sachet dans de l'eau chaude.) Émiettez finement la chair du crabe. Retirez les cartilages éventuels.

3. Lorsque le riz est presque cuit, ajoutez le crabe émietté, remuez très délicatement, poivrez et laissez sur le feu pendant encore 5 minutes. Au dernier moment, ajoutez le beurre restant et servez aussitôt.

Notre conseil
On trouve désormais du riz qui ne nécessite qu'une dizaine de minutes de cuisson au lieu de 20 minutes.

Salade d'orange

Pour 4 personnes :
4 belles oranges (de la Maltaise, si possible)
2 bananes
2 cuillerées à soupe de sucre en poudre
1 cuillerée à café de cannelle
2 cuillerées à soupe de rhum vieux
2 cuillerées à soupe de poudre de noix de coco
3 gouttes d'extrait de vanille

Préparation : 5 mn.

1. Pelez les oranges à vif et coupez-les en rondelles. Retirez-en les pépins. Pelez les bananes et coupez-les en fines rondelles également. Versez les deux fruits dans une jatte.

2. Mélangez le sucre, la cannelle, le rhum et l'extrait de vanille ; arrosez-en la salade. Saupoudrez de noix de coco et placez au frais jusqu'au moment de servir.

Notre conseil
Cette recette s'inspire assez librement d'un dessert traditionnel du Maroc. Elle est particulièrement recommandée pour les repas d'été.

Salade de tomate à la mozarella

Pour 4 personnes :

*4 belles tomates mûres
mais fermes*

*2 boules de mozarella
de bufflonne*

*3 cuillerées à soupe d'huile d'olive
extra-vierge*

1 petit bouquet de basilic frais

12 olives noires

12 filets d'anchois marinés

Sel, poivre

Préparation : 8 mn.

1. Ébouillantez les tomates pendant 20 secondes. Passez-les sous l'eau fraîche et pelez-les. Épépinez-les et coupez-les en rondelles. Disposez-les sur un grand plat.

2. Coupez la mozarella bien égouttée en très fines tranches et répartissez-les sur les tomates. Salez et poivrez, puis versez l'huile d'olive en filet.

3. Lavez le bouquet de basilic et effeuillez-le ; séchez les feuilles sur du papier absorbant et parsemez-en la salade. Décorez avec les olives noires et les filets d'anchois bien égouttés. Placez au frais jusqu'au moment de servir.

Notre conseil

Dégustez cette salade italienne avec des toasts de pain de campagne frottés à l'ail, badigeonnés d'huile d'olive et saupoudrés d'origan.

Saltimboccas

Pour 4 personnes :

*12 tranches ultrafines de filet
de veau de 40 g chacune*

*4 tranches de jambon de Parme
ultrafines*

12 feuilles de sauge fraîche

*2 cuillerées à soupe
de vin blanc sec*

1 cuillerée à soupe d'huile d'olive

10 g de beurre

Poivre

Préparation et cuisson : 15 mn.

1. Divisez les tranches de jambon en quatre. Étalez les tranches de veau sur votre plan de travail et poivrez-les. Posez sur chacune d'elles 1 part de jambon et 1 feuille de sauge, puis roulez-les sur elles-mêmes et maintenez-les fermées à l'aide d'une pique en bois.

2. Chauffez l'huile d'olive dans une grande poêle avec le beurre. Placez-y les saltimboccas et faites-les cuire 3 à 4 minutes de chaque côté.

3. Préchauffez les assiettes. Lorsque les saltimboccas sont légèrement dorés, répartissez-les dans les assiettes et réservez au chaud. Jetez la moitié du gras de cuisson et déglacez la poêle sur feu vif avec le vin blanc. Faites réduire de moitié, grattez bien les sucs avec une spatule en bois et versez cette sauce sur les saltimboccas.

Notre conseil

Servez avec des haricots vers cuits à la vapeur ou des courgettes sautées saupoudrées de sauge.

Fraises au poivre

Pour 4 personnes :

500 g de fraises

Poivre noir du moulin

1 cuillerée à soupe de sucre glace

*3 cuillerées à café de vinaigre
de vin ou de vin rouge*

4 belles feuilles de menthe

Préparation : 7 mn.

1. Lavez et équeutez les fraises. Séchez-les avec du papier absorbant, coupez-les en deux et répartissez-les dans des coupelles.

2. Donnez plusieurs tours de moulin de poivre noir, arrosez avec le vinaigre ou le vin et saupoudrez de sucre glace uniformément.

3. Placez les coupes au frais. Au moment de servir, décorez avec les feuilles de menthe.

Notre conseil

Cette recette originale est tout à fait digne des grandes tables. Elle faisait partie du patrimoine culinaire, un peu oublié, de nos grands-mères.

Ailloli express

Pour 4 personnes :
4 œufs
1/2 chou-fleur
1/2 concombre
8 petites tomates (olivettes, Roma...)
1 cœur de céleri-branche
200 g de grosses crevettes décortiquées
200 g de bulots cuits
200 g de bigorneaux cuits
Pour la mayonnaise :
1 gousse d'ail
2 jaunes d'œufs
1 cuillerée à soupe de moutarde
4 dl d'huile de tournesol ou de maïs
1 bouquet de ciboulette
1/2 bouquet d'estragon
Sel, poivre

Préparation et cuisson : 20 mn.

1. Faites durcir les œufs à l'eau bouillante pendant 8 minutes.

2. Pendant ce temps, préparez la mayonnaise : pelez la gousse d'ail, coupez-la en deux et frottez-en un grand bol. Versez les jaunes d'œufs à température ambiante et la moutarde. Montez la mayonnaise en versant l'huile très progressivement. Lorsqu'elle est prise, salez et poivrez. Passez sous l'eau fraîche les bouquets de ciboulette et d'estragon. Effeuillez l'estragon et hachez-le au mixer avec la ciboulette. Ajoutez ce hachis d'herbes à la mayonnaise. Placez au frais.

3. Lavez le chou-fleur, séchez-le et détaillez-le en fleurettes, que vous placez dans un grand ravier. Pelez le concombre, coupez-le en quatre dans le sens de la longueur, épépinez-le et coupez-le en bâtonnets ; mettez-les dans un second ravier. Lavez et séchez les tomates ; laissez-les entières et placez-les sur un plat. Nettoyez le céleri, séchez-le et séparez les branches ; ne gardez que le jaune et ajoutez aux tomates.

4. Au moment de servir, écalez les œufs et passez-les sous l'eau fraîche ; coupez-les en quartiers et disposez-les près des tomates. Répartissez les crevettes, les bulots et les bigorneaux dans 3 assiettes (dans celle contenant les bulots, mettez des piques en bois). Présentez tous les éléments de l'ailloli sur la table : chacun se servira de légumes, d'œufs et de fruits de mer à sa convenance et les trempera dans la mayonnaise aux herbes.

Notre conseil
Cette version simplifiée de l'ailloli conviendra même aux plus pressé(e)s, d'autant que ce plat copieux permet de se passer d'entrée.
Si vous avez du temps, faites cuire de la morue au court-bouillon et présentez-la avec les fruits de mer et les légumes.

Granité aux fruits rouges

Pour 4 personnes :
150 g de fraises surgelées
150 g de framboises surgelées
150 g de groseilles ou de myrtilles surgelées
50 g de sucre en poudre
1/2 citron vert
1 bouquet de menthe
8 tuiles aux amandes

Préparation : 10 mn.

1. Mettez dans le bol d'un robot tous les fruits rouges surgelés. Ajoutez le sucre et actionnez brièvement l'appareil. Pressez le jus du citron vert et râpez-en le zeste ; versez dans le bol du robot et mixez à nouveau jusqu'à obtention d'une purée épaisse et granuleuse.

2. Versez la préparation dans un moule métallique et placez immédiatement au congélateur. Laissez prendre en battant de temps en temps à la fourchette pour donner à la préparation cet aspect granité auquel elle doit son nom.

3. Lorsque le granité est pris, répartissez-le dans 4 grands verres à pied. Passez la menthe sous l'eau fraîche, essuyez-la avec du papier absorbant et effeuillez-la. Répartissez-la dans les coupes et replacez au congélateur jusqu'au moment de servir. Accompagnez de tuiles aux amandes.

Menu à thème

Mousseline andalouse

Pour 4 personnes :
0,5 l de gaspacho andalou surgelé
4 tomates
1/2 concombre
1/2 poivron
4 cuillerées à soupe d'huile d'olive
1 cuillerée à soupe de vinaigre de vin
8 branches de coriandre fraîche
Sel, poivre

Préparation : 10 mn.

1. Laissez un peu décongeler le gaspacho à température ambiante pour pouvoir le placer dans le bol d'un robot. Ébouillantez les tomates, pelez-les, épépinez-les et coupez-les en tout petits dés. Lavez le demi-concombre, essuyez-le, coupez-le en quatre dans le sens de la longueur, épépinez-le et détaillez-le également en petits dés. Lavez le demi-poivron, ôtez-en les pépins et les parties blanches. Coupez-le en lanières puis en petits dés. Disposez les dés de tomate, de concombre et de poivron dans 3 raviers et placez au réfrigérateur.

2. Actionnez le robot pour réduire le gaspacho en une purée un peu épaisse. Ajoutez l'huile d'olive, le vinaigre, du sel et du poivre, et mixez à nouveau quelques instants. Au besoin, ajoutez un peu d'eau.

3. Versez cette mousseline dans des assiettes creuses. Lavez la coriandre, ciselez-la et parsemez-en la soupe. Servez avec les dés de légumes à part.

Rougets barbets aux olives noires

Pour 4 personnes :
8 rougets barbets levés en filets par votre poissonnier
200 g d'olives noires
3 cuillerées à soupe d'huile d'olive
4 pommes de terre nouvelles
Sel, poivre

Préparation et cuisson : 10 mn.

1. Faites cuire les pommes de terre à l'eau bouillante salée sans les peler.

2. Séchez le poisson avec du papier absorbant et badigeonnez-le avec 1 cuillerée d'huile d'olive. Faites chauffer une poêle à revêtement antiadhésif sur feu moyen et mettez-y les filets de rouget ; laissez-les cuire 3 à 4 minutes de chaque côté.

3. Dénoyautez les olives et écrasez-les grossièrement à la fourchette ; versez-les dans la poêle.

4. Préchauffez les assiettes. Quand les pommes de terre sont cuites, égouttez-les et pelez-les ; écrasez-les à la fourchette et arrosez-les de l'huile d'olive restante ; salez et poivrez.

5. Répartissez les filets de rouget sur les assiettes, posez dessus un peu d'olives écrasées et accompagnez de la purée de pomme de terre très chaude.

Notre conseil

Vous pouvez remplacer les olives noires par 4 cuillerées à soupe de tapenade : c'est une purée d'olives noires à l'huile d'olive, que l'on peut acheter en pot au rayon épicerie fine.

Pêches flambées

Pour 4 personnes :
4 belles pêches
20 g de beurre
4 cuillerées à soupe de sucre glace
1 petit verre de sauternes ou de muscat
1 verre à liqueur de cognac ou de rhum

Préparation et cuisson : 10 mn.

1. Préchauffez le four à th. 6. Pelez les pêches, coupez-les en deux et ôtez les noyaux.

2. Beurrez légèrement un plat allant au four et mettez-y les demi-pêches, côté bombé sur le dessus. Saupoudrez de sucre glace et mouillez avec le vin. Enfournez et laissez dorer légèrement les pêches pendant 6 à 7 minutes. Éteignez le four et laissez les pêches caramélisées à l'intérieur pour qu'elles restent au chaud.

3. Au moment de servir, sortez du four, arrosez avec l'alcool choisi et flambez aussitôt en secouant le plat pour récupérer tous les sucs ; au besoin, raclez-le avec une spatule en bois. Répartissez les pêches dans des coupes, arrosez avec un peu de jus recueilli et servez aussitôt.

Menu à thème

Salade mexicaine

Pour 4 personnes :
1 petite boîte de maïs en grains
1 petite boîte de haricots rouges
2 oignons rouges
1 poivron vert
1 petite laitue

Pour la sauce :
1 cuillerée à soupe de vinaigre de xérès
1/2 cuillerée à café de moutarde
3 cuillerées à soupe d'huile d'olive
1 goutte de tabasco
1/2 jus de citron vert
1 cuillerée à café de ketchup
Sel, poivre

Préparation : 10 mn.

1. Nettoyez la laitue et essorez-la bien. Disposez quelques feuilles dans de grands verres à pied ou dans des coupelles individuelles. Épluchez les oignons rouges et hachez-les finement. Ouvrez le poivron en deux, épépinez-le, ôtez les parties blanches et coupez-le en petits dés. Ouvrez les boîtes de maïs et de haricots rouges, égouttez-les et rincez leur contenu à l'eau fraîche. Dans une jatte, mélangez les haricots rouges, le maïs, le hachis d'oignon et les dés de poivron.

2. Préparez la sauce : mélangez tous les ingrédients et émulsionnez l'ensemble. Versez cette sauce sur la salade et remuez longuement pour que les légumes s'imprègnent bien de l'assaisonnement.

3. Répartissez la salade sur les feuilles de laitue et placez au réfrigérateur jusqu'au moment de servir.

Filets de mérou à l'indienne

Pour 4 personnes :
500 g de filets de mérou
1 cuillerée à soupe de curcuma
1 cuillerée à café de gingembre fraîchement râpé
50 g de beurre
3 cuillerées à soupe de crème fraîche
1 citron vert
Sel, poivre

Préparation et cuisson : 10 mn.

1. Pressez le jus du citron vert ; aspergez-en les filets de poisson en réservant 3 cuillerées à soupe. Salez et poivrez.

2. Faites fondre le beurre dans une grande poêle sur feu moyen et mettez-y à cuire les filets de poisson pendant 5 à 6 minutes.

3. Pendant ce temps, faites fondre la crème fraîche dans une petite casserole, ajoutez-y le curcuma, le gingembre râpé et le reste du jus de citron vert. Salez et poivrez légèrement. Mélangez bien.

4. Préchauffez les assiettes et une saucière. Faites glisser les filets de poisson dans chaque assiette, puis versez le beurre de cuisson dans la petite casserole où mijote la sauce. Remuez, versez dans la saucière et servez avec les filets de poisson.

Notre conseil
Pour ajouter à l'exotisme de ce plat, vous pouvez incorporer à la sauce de la noix de coco fraîchement râpée.

Mousseline à la mangue

Pour 4 personnes :
2 belles mangues bien mûres
1 orange
1,25 l de crème fraîche liquide bien froide
3 gouttes d'extrait de vanille
1 cuillerée à soupe de miel d'acacia liquide
4 feuilles de menthe

Préparation : 10 mn.

1. Épluchez les mangues et débarrassez-les de leur noyau ; coupez grossièrement la pulpe en morceaux, que vous placez dans le bol d'un robot. Pressez l'orange et versez son jus sur les morceaux de mangue. Ajoutez la vanille, puis actionnez l'appareil jusqu'à ce que vous obteniez une mousse légère et onctueuse.

2. Montez la crème fraîche en chantilly avec le miel, puis incorporez-la délicatement à la pulpe de mangue en prenant soin de soulever la masse pour que la chantilly ne retombe pas.

3. Répartissez la mousse dans de grands verres à pied et placez au réfrigérateur jusqu'au moment de servir. Décorez avec les feuilles de menthe à la dernière minute.

Notre conseil
Hors saison, vous pouvez remplacer les mangues par n'importe quel fruit juteux (pêches, poires), mais ce sera moins exotique...

Menu à thème

Crevettes aux kiwis

Pour 4 personnes :

300 g de crevettes roses décortiquées

2 kiwis bien juteux

2 cuillerées à soupe de crème fraîche

1 citron vert

Sel, poivre

Préparation : 7 mn.

1. Épluchez les kiwis ; coupez-les en fines rondelles en recueillant tout le jus. Pressez le citron.

2. Battez ensemble la crème fraîche, le jus du citron vert et celui des kiwis ; salez et poivrez. Ajoutez les crevettes et mélangez.

3. Tapissez le fond d'un plat creux avec les rondelles de kiwi – conservez-en quelques-unes pour la décoration. Répartissez dessus les crevettes en sauce et décorez avec le reste des rondelles de kiwi en formant une rosace.

Côtes d'agneau au couscous

Pour 4 personnes :

4 côtes d'agneau dans le filet

2 branches de thym frais

2 gousses d'ail

3 cuillerées à soupe d'huile d'olive

1 cuillerée à café de jus de citron

1 sachet de couscous précuit

2 cuillerées à soupe de raisins de Corinthe

1 cuillerée à soupe de pignons de pin

2 feuilles de menthe

Sel, poivre

Préparation et cuisson : 13 mn.

1. Préparez la marinade : dans un grand plat creux, versez 2 cuillerées à soupe d'huile d'olive. Émiettez le thym dans le plat. Ajoutez le jus de citron, ainsi que les gousses d'ail pelées et finement hachées. Poivrez et remuez soigneusement. Mettez les côtes d'agneau à macérer dans le plat et couvrez d'une feuille de papier d'aluminium. Dans un bol rempli d'eau tiède, mettez les raisins secs à gonfler.

2. Versez la semoule de couscous dans le panier d'un couscoussier ou d'un autocuiseur, empli de 3 cm d'eau. Arrosez avec le reste d'huile d'olive et mélangez légèrement à la semoule. Couvrez le récipient et laissez cuire à feu très doux pendant 5 minutes, en remuant de temps à autre pour que les grains ne collent pas.

3. Chauffez un gril en fonte ou, à défaut, une poêle antiadhésive et saisissez les côtes d'agneau bien égouttées. Laissez cuire pendant 3 à 4 minutes au maximum, en retournant à mi-cuisson. La chair doit être rose à l'intérieur, grillée et dorée à l'extérieur. Salez. Préchauffez les assiettes.

4. Au moment de servir, faites sauter très rapidement les pignons de pin dans la poêle avec l'agneau. Égouttez les raisins et mélangez-les au couscous. Filtrez la marinade et versez-la sur le couscous. Remuez délicatement.

5. Répartissez la semoule dans les assiettes, posez dessus les côtes d'agneau, parsemez de pignons de pin et de feuilles de menthe fraîche ciselées. Servez aussitôt.

Brochettes hawaïennes caramélisées

Pour 4 personnes :

2 petits ananas frais et bien mûrs

5 cl de rhum ambré

2 cuillerées à soupe de sucre vanillé

Préparation et cuisson : 10 mn.

1. Épluchez les ananas et coupez chacun d'eux en quatre dans le sens de la hauteur. Retirez les yeux et le cœur s'il est dur. Mettez les ananas à mariner dans un plat contenant le rhum. Saupoudrez de sucre vanillé, couvrez et laissez en attente pendant 10 minutes, en retournant les quartiers d'ananas au bout de 5 minutes pour qu'ils s'imprègnent sur leurs deux faces.

2. Enfilez les quarts d'ananas à peine égouttés sur 8 piques à brochette. Faites chauffer un gril en fonte et saisissez-y les brochettes d'ananas pendant 3 à 4 minutes. Faites flamber le rhum de la marinade et versez-le sur les brochettes au moment de servir.

Menu à thème

Crevettes sautées minute

Pour 4 personnes :
500 g de crevettes grises vivantes
30 g de beurre demi-sel
1 gousse d'ail
2 échalotes grises
2 cuillerées à soupe de persil haché
1 cuillerée à café de thym émietté
Poivre

Préparation et cuisson : 10 mn.

1. Rincez les crevettes sous l'eau et séchez-les soigneusement. Pelez et hachez très finement l'ail et les échalotes.

2. Faites chauffer le beurre dans une grande poêle et mettez-y à revenir rapidement les crevettes en secouant la poêle dans tous les sens ; ajoutez le hachis d'ail et d'échalotes, le thym émietté, le persil haché et du poivre. Laissez cuire pendant 7 à 8 minutes sur feu doux.

3. Servez les crevettes directement dans les assiettes préchauffées et mangez-les avec les doigts sans les décortiquer, en ne laissant que la tête.

Notre conseil
Prévoyez un rince-doigts empli d'eau citronnée pour chacun des convives.

Daurade crue marinée

Pour 4 personnes :
4 filets de daurade émincés par votre poissonnier
2 citrons verts
5 cuillerées à soupe d'huile d'olive extra-vierge
4 tranches de pain de campagne
1 cuillerée à soupe d'origan séché
Sel, poivre

Préparation et cuisson : 10 mn.

1. Dans un grand plat creux, étalez les filets de daurade émincés après en avoir ôté soigneusement les éventuelles arêtes à l'aide d'une pince à épiler.

2. Râpez le zeste de 1 citron vert et pressez le jus des 2 citrons. Répartissez le zeste sur le poisson. Émulsionnez les jus de citron et 4 cuillerées à soupe d'huile d'olive, salez, poivrez et versez sur les filets de daurade.

3. Au moment de servir, faites griller les tranches de pain, humectez-les du reste d'huile d'olive et saupoudrez-les d'un peu d'origan séché. Égouttez les lamelles de daurade, répartissez-les dans les assiettes et servez avec le pain grillé.

Notre conseil
Une salade de riz ou une ratatouille froide accompagnent parfaitement ce plat.

Salade de fruits Timour

Pour 4 personnes :
2 poires
2 bananes
2 pêches
100 g de framboises
4 cuillerées à soupe de coulis de framboise surgelé ou 200 g de framboises surgelées
8 feuilles de menthe

Préparation : 10 mn.

1. Faites décongeler le coulis de framboise ou les framboises surgelées dans de l'eau tiède.

2. A l'aide d'un couteau pointu, coupez les poires et les pêches en quatre, ôtez leurs pépins et noyaux, puis pelez-les.

3. Sur des assiettes à dessert, disposez 2 quartiers de poire et 2 quartiers de pêche par personne. Coupez-les en tranches ; disposez-les en éventail.

4. Mixez les framboises, puis passez la pulpe au tamis en pressant légèrement pour en extraire tout le jus ; versez ce coulis autour des fruits. Pelez les bananes et coupez-les en rondelles. Répartissez-les dans les assiettes, puis décorez avec les feuilles de menthe.

Taboulé

Pour 4 personnes :

150 g de couscous moyen
2 citrons verts
6 cuillerées à soupe d'huile d'olive
1 botte de persil
1/2 botte de menthe
2 tomates bien fermes
1/2 concombre
4 radis
Sel, poivre

Préparation : 7 mn.

1. Versez la semoule de couscous dans un saladier. Pressez le jus des citrons verts et versez sur le couscous ; mélangez et laissez gonfler. Au besoin, ajoutez quelques cuillerées à soupe d'eau tiède s'il est trop sec.

2. Lavez le persil et la menthe, puis hachez-les finement. Ébouillantez les tomates ; pelez-les, ouvrez-les en deux, épépinez-les et coupez-les en petits dés. Pelez le concombre, ouvrez-le en quatre dans le sens de la longueur, épépinez-le et coupez-le en petits dés également.

3. Versez les herbes, les dés de tomate et de concombre dans le saladier. Salez, poivrez, ajoutez l'huile d'olive et remuez longuement. Placez au frais jusqu'au moment de servir.

4. Au dernier moment, lavez les radis, équeutez-les, incisez-les en quatre sans séparer les quartiers et disposez-les en décoration sur le taboulé.

Notre conseil
Pour rendre cette version rapide du taboulé plus savoureuse, laissez macérer les ingrédients au moins 30 minutes.

Maquereaux frits à l'africaine

Pour 4 personnes :

8 petits maquereaux étêtés et vidés
Huile de friture
100 g de riz
2 oignons
1 cuillerée à soupe d'huile d'olive
Sel, poivre

Préparation et cuisson : 18 mn.

1. Séchez bien les maquereaux avec du papier absorbant. Faites chauffer l'huile dans la friteuse.

2. Épluchez bien les oignons et hachez-les menu. Faites-les revenir dans une casserole avec l'huile d'olive. Ajoutez le riz et deux fois son volume d'eau quand les oignons sont juste transparents. Couvrez et laissez cuire jusqu'à absorption complète du liquide.

3. Placez les maquereaux dans le panier de la friteuse et plongez-les dans l'huile très chaude pendant 5 à 7 minutes.

4. Répartissez le riz dans les assiettes, disposez 2 maquereaux par personne et servez aussitôt.

Mousse glacée à l'avocat

Pour 4 personnes :

2 petits avocats bien mûrs
2 citrons verts
6 cuillerées à soupe de sucre semoule
1/2 cuillerée à café de vanille liquide

Préparation : 5 mn (1 heure à l'avance).

1. Ouvrez les avocats en deux et ôtez le noyau. Creusez la pulpe avec une petite cuillère et placez-la dans le bol d'un mixer ; râpez au-dessus le zeste de 1 citron. Pressez le jus des 2 citrons et versez dans le bol du mixer. Ajoutez le sucre et la vanille liquide.

2. Actionnez l'appareil pendant 1 minute environ. Répartissez la mousse obtenue dans de grands verres à pied et placez au frais – dans le haut du réfrigérateur – pendant au moins 1 heure.

Notre conseil
Très originale en dessert, cette mousse d'avocat est absolument délicieuse. Elle présente en outre l'avantage d'être très rapide à réaliser. Le citron vert met en valeur le goût de l'avocat et empêche que la préparation ne noircisse.

Menu à thème

Tarama

Pour 4 personnes :

1 belle poche d'œufs de cabillaud

125 g de crème fraîche épaisse

1 citron

2 tranches de pain de mie

1 verre de lait

4 tranches de pain de campagne

4 feuilles de laitue

Préparation : 7 mn.

1. Otez la croûte du pain de mie et faites ramollir les tranches dans le verre de lait. Essorez-les soigneusement et placez-les dans le bol d'un robot.

2. Pressez le jus du citron, versez-le dans le bol, ainsi que la crème fraîche. A l'aide d'un couteau pointu, ouvrez la poche d'œufs de cabillaud ; grattez le contenu et ajoutez-le aux autres ingrédients.

3. Actionnez l'appareil jusqu'à obtention d'une pâte parfaitement homogène. Placez au réfrigérateur jusqu'au moment de servir.

4. Disposez les feuilles de salade sur des assiettes et garnissez de tarama. Faites griller les tranches de pain de campagne et servez-les tièdes, en accompagnement du tarama.

Rougets en papillote d'algues

Pour 4 personnes :

4 rougets préparés
par votre poissonnier

1 belle poignée d'algues fraîches
(à demander à votre poissonnier)

20 g de beurre

1 cuillerée à soupe d'huile d'olive

1 cuillerée à café de fleur de thym
émiettée

1 cuillerée à café de sauge
émiettée

1 cuillerée à café de pastis

Sel, poivre

Préparation et cuisson : 13 mn.

1. Lavez bien les algues, séchez-les dans du papier absorbant et étalez-les sur 4 grandes feuilles de papier d'aluminium.

2. Dans une petite casserole, faites fondre le beurre ; ajoutez-y l'huile d'olive, le thym, la sauge, le pastis, du sel et du poivre. Badigeonnez uniformément les rougets barbets de cette préparation.

3. Allumez le four à th. 6. Posez les poissons sur les algues et fermez bien hermétiquement les feuilles d'aluminium en les roulant sur elles-mêmes. Enfournez et laissez cuire 7 à 8 minutes.

4. Servez directement les poissons dans leurs papillotes.

Notre conseil
Les algues ne se mangent pas, mais elles donnent un goût très particulier à la chair des poissons.

Pêches Melba

Pour 4 personnes :

4 pêches bien mûres

1/2 citron

25 cl de crème fraîche liquide
(fleurette)

1 cuillerée à soupe de sucre vanillé

4 cuillerées à soupe
de gelée de groseille

2 cuillerées à soupe
d'amandes effilées

4 boules de glace à la vanille

1 belle grappe
de groseilles fraîches

Préparation : 10 mn.

1. Ébouillantez rapidement les pêches et pelez-les. Coupez-les en deux, ôtez leur noyau, citronnez-les légèrement et placez-les au frais.

2. Montez la crème fleurette en chantilly en y ajoutant petit à petit le sucre vanillé ; placez-la au réfrigérateur.

3. Au moment de servir, répartissez les demi-pêches dans des grandes coupes, remplissez le trou laissé par le noyau par une boule de glace, recouvrez de crème chantilly puis d'amandes effilées. Décorez avec les groseilles égrappées.

Notre conseil
Hors saison, vous pouvez utiliser des pêches au sirop, mais le résultat sera nettement moins goûteux qu'avec des fruits frais.

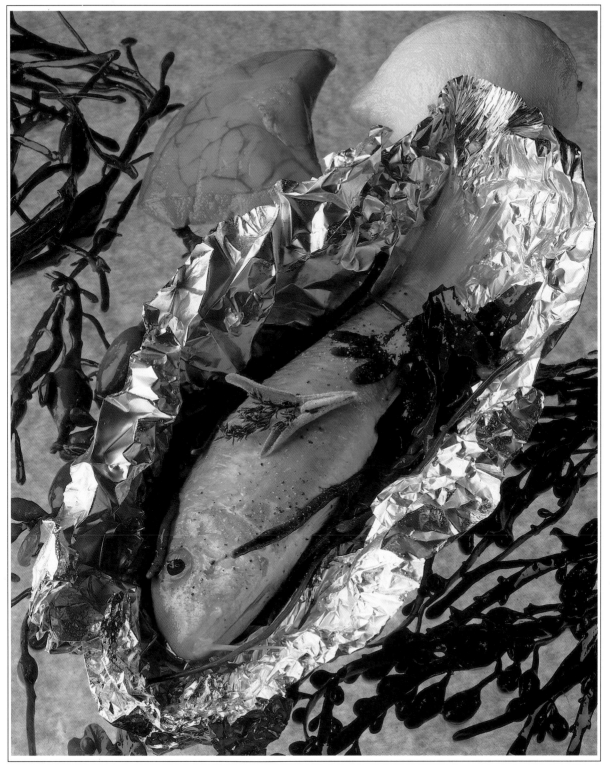

Melon au jambon de Parme

Pour 4 personnes :
2 melons bien mûrs
8 belles tranches ultrafines de jambon de Parme ou de viande des Grisons
4 feuilles de menthe (facultatif)
Sel, poivre

Préparation : 5 mn.

1. Coupez les melons en quartiers, ôtez toutes les graines et séparez la chair de la peau, à l'aide d'un couteau effilé.

2. Coupez le melon en fines tranches et répartissez-les en éventail sur les assiettes. Salez et poivrez selon votre goût. Disposez 2 tranches de jambon de Parme ou de viande des Grisons sur chaque assiette. Décorez d'une feuille de menthe et placez les assiettes au frais jusqu'au moment de servir.

Notre conseil
Des figues fraîches peuvent remplacer le melon en automne.

Tranches de gigot à la fleur de thym et aux courgettes

Pour 4 personnes :
4 tranches de gigot
2 gousses d'ail
4 cuillerées à soupe de fleur de thym émiettée
2 cuillerées à soupe d'huile d'olive
4 courgettes bien fermes
1 cuillerée à soupe de gros sel
Sel, poivre

Préparation et cuisson : 15 mn.

1. Pelez les gousses d'ail et coupez-les en deux ; frottez-en les tranches de gigot. Salez, poivrez et enduisez la viande de 1 cuillerée à soupe d'huile d'olive.

2. Lavez soigneusement les courgettes, séchez-les, ne les pelez pas et coupez-les en fines rondelles, que vous placez dans une passoire et couvrez de gros sel. Laissez-les dégorger pendant 5 minutes en secouant de temps à autre.

3. Faites chauffer une poêle à revêtement antiadhésif et placez-y les tranches de gigot. Faites-les griller sur leurs deux faces pendant 3 à 4 minutes.

4. Ajoutez la fleur de thym et les courgettes bien égouttées dans la poêle. Arrosez du reste d'huile d'olive et poursuivez la cuisson sur feu assez vif.

5. Retirez du feu et servez quand le gigot et les courgettes sont bien croustillants.

Figues au coulis de framboise

Pour 4 personnes :
8 belles figues bien mûres
1 sachet de coulis de framboise surgelé (ou 300 g de framboises surgelées et 2 cuillerées à soupe de sucre en poudre)
1 bombe de crème chantilly

Préparation : 10 mn.

1. Plongez le sachet de coulis dans de l'eau tiède pour le faire légèrement décongeler ; placez le contenu dans le bol d'un robot et mixez. (Si vous utilisez des framboises surgelées, ajoutez le sucre et faites fonctionner l'appareil jusqu'à ce qu'elles soient réduites en purée un peu épaisse. Passez celle-ci au chinois pour la débarrasser des graines et pressez légèrement pour en extraire tout le jus.)

2. Épluchez les figues et coupez-les en deux ; placez-les dans des coupes, recouvrez-les de coulis de framboise et dessinez des volutes de crème chantilly par-dessus.

Notre conseil
Vous pouvez remplacer la crème chantilly par de la crème anglaise achetée en brick.

Menu à thème

Guacamole

Pour 4 personnes :
3 avocats bien mûrs
2 citrons verts
1 tomate mûre mais ferme
2 oignons blancs nouveaux
Tabasco (facultatif)
Sel, poivre

Préparation : 7 mn.

1. Ouvrez les avocats en deux et ôtez les noyaux. Évidez la pulpe à l'aide d'une cuillère à soupe, puis écrasez-la à la fourchette et recouvrez-la immédiatement du jus des citrons verts. Ébouillantez la tomate, pelez-la, épépinez-la et coupez-en la chair en petits dés. Mettez-les avec la chair d'avocat.

2. Hachez très finement les petits oignons blancs et mélangez-les à la préparation. Salez, poivrez, ajoutez 1 ou 2 gouttes de tabasco (attention, c'est très fort !) et placez aussitôt au réfrigérateur.

Notre conseil
Servez cette spécialité mexicaine avec des crudités ou, mieux, avec des chips de maïs (tacos).

Gambas grillées

Pour 4 personnes :
16 belles gambas
2 gousses d'ail
1 cuillerée à soupe de fleur de thym émiettée
1 petit verre de vin blanc
1 citron
3 cuillerées à soupe d'huile d'olive
Sel, poivre

Préparation et cuisson : 13 mn.

1. Préparez la marinade : pelez et hachez très finement les gousses d'ail. Répartissez-les au fond d'un récipient creux, puis ajoutez le thym, le vin blanc, le jus du citron, l'huile d'olive, du sel et du poivre ; mélangez bien le tout. Placez les gambas dans le plat et laissez mariner au moins 20 minutes.

2. Faites chauffer un gril en fonte ou, mieux, un barbecue. Saisissez-y les gambas égouttées sur leurs deux faces en les arrosant régulièrement de marinade. Servez-les dès qu'elles sont cuites (elles deviennent d'un rose plus soutenu).

Notre conseil
Les gambas se décortiquant à la main, prévoyez des rince-doigts emplis d'eau citronnée pour vos convives.

Soupe de fruits rouges

Pour 4 personnes :
100 g de fraises
100 g de framboises
100 g de mûres ou de groseilles
100 g de sucre
1 cuillerée à soupe de sirop de grenadine
1 cuillerée à soupe de jus de citron
8 feuilles de menthe

Préparation et cuisson : 10 mn.

1. Faites chauffer 25 cl d'eau avec le sucre jusqu'à ce que vous obteniez un sirop. Ajoutez le sirop de grenadine et remuez bien. Laissez tiédir dans un endroit frais.

2. Équeutez et nettoyez tous les fruits rouges ; mettez-les dans le bol d'un mixer et aspergez-les de jus de citron. Ajoutez le sirop et mixez quelques instants.

3. Répartissez la préparation dans des verres à pied et placez au réfrigérateur pendant 1 heure. Au moment de servir, décorez avec les feuilles de menthe.

Menu tonique-minceur

Fromage blanc aux herbes

Pour 4 personnes :
300 g de fromage blanc lisse ou fermier
2 petits oignons nouveaux
5 cuillerées à soupe d'herbes fraîches ciselées en mélange (cerfeuil, ciboulette, estragon, persil, coriandre...)
2 cuillerées à soupe d'huile d'olive
Sel, poivre

Préparation : 5 mn.

Hachez très finement les oignons avec leur tige verte. Dans une jatte, mélangez le fromage blanc, les oignons hachés et les herbes. Salez, poivrez et battez légèrement avec l'huile d'olive. Couvrez et réservez au frais jusqu'au moment de servir.

Filets de sole au paprika

Pour 4 personnes :
4 belles soles préparées en filets par votre poissonnier
1/2 cuillerée à café de paprika
125 g de crème fraîche
2 citrons
Sel, poivre

Préparation et cuisson : 15 mn.

1. Préchauffez 4 assiettes. Dans une poêle à revêtement antiadhésif, faites griller sur feu doux les filets de sole pendant 3 à 4 minutes de chaque côté. Saupoudrez de paprika, salez et poivrez. Ajoutez la crème fraîche et portez à ébullition pendant 2 à 3 minutes.

2. Dressez les filets de sole sur les assiettes, nappez de sauce et servez avec les citrons coupés en quartiers.

Pamplemousses au miel

Pour 4 personnes :
2 pamplemousses roses
2 cuillerées à soupe de miel d'acacia
15 g de beurre
1 petit verre à liqueur de Cointreau

Préparation et cuisson : 10 mn.

1. Allumez le gril du four à th. 6.

2. Ouvrez les pamplemousses en deux et ôtez les pépins apparents. Badigeonnez la surface de miel en égalisant avec le dos d'une petite cuillère. Posez 1 noisette de beurre sur chaque demi-pamplemousse.

3. Enfournez les demi-pamplemousses et laissez-les dorer pendant 3 à 4 minutes. Arrosez de Cointreau à la dernière minute et servez tiède.

Notre conseil
Le pamplemousse étant peu calorique, vous pouvez vous permettre d'y adjoindre un peu de miel, de beurre et de liqueur les jours où vous voulez vous gâter.

Menu tonique-minceur

Salade de fenouil cru au saumon cru

Pour 4 personnes :
3 beaux bulbes de fenouil bien frais
1 citron
3 cuillerées à soupe d'huile d'olive
2 belles tranches très fines de saumon cru
2 branches d'aneth
2 branches de cerfeuil
Sel, poivre

Préparation : 6 mn.

1. Nettoyez les bulbes de fenouil à l'eau fraîche et ôtez éventuellement les feuilles extérieures. Détaillez les fenouils en très fines lamelles avec un robot ménager.

2. Râpez le zeste du citron et pressez-en le jus ; mélangez le zeste avec le fenouil. Battez le jus du citron avec l'huile d'olive ; salez, poivrez, versez sur le fenouil et mélangez bien. Émincez le saumon en lanières très fines.

3. Sur une feuille de papier d'aluminium, étalez les lanières de saumon, puis recouvrez-les avec les branches d'aneth et refermez la papillote pour que l'aneth communique son parfum au poisson.

4. Au moment de servir, répartissez sur les assiettes un peu de salade de fenouil et quelques lanières de saumon cru ; parsemez de cerfeuil ciselé. Maintenez les assiettes au frais jusqu'au moment de servir.

Blancs de poulet aux agrumes

Pour 4 personnes :
4 blancs de poulet
1/2 orange
1/2 citron
20 g de beurre
1 blanc de céleri
2 cuillerées à soupe d'amandes effilées
Sel, poivre

Préparation et cuisson : 12 mn.

1. Faites fondre le beurre dans une grande poêle et mettez-y à revenir les blancs de poulet. Allumez le four à th. 6.

2. Pressez l'orange et le citron ; râpez leur zeste au-dessus du jus recueilli. Lavez et séchez le céleri, puis coupez-le en petits tronçons. Versez dans la poêle, salez, poivrez et arrosez du jus des agrumes. Couvrez et laissez cuire environ 8 minutes.

3. Préchauffez les assiettes et une saucière.

4. Faites griller au four les amandes effilées. Lorsque le céleri est moelleux à l'extérieur mais encore croquant à l'intérieur, disposez les blancs de poulet sur les assiettes, répartissez le céleri, parsemez d'amandes effilées grillées et servez avec le jus en saucière.

Pruneaux au vin rouge

Pour 4 personnes :
250 g de pruneaux
25 cl de bon vin rouge
1 cuillerée à café de cannelle
1 sachet de sucre vanillé

Préparation et cuisson : 12 mn.

1. Mettez à tremper les pruneaux dans un peu d'eau tiède pendant 4 minutes.

2. Dans une petite casserole, portez à ébullition le vin rouge avec la cannelle et le sucre vanillé. Égouttez les pruneaux et plongez-les dans le sirop ; laissez frémir sur feu doux pendant 5 minutes. Couvrez et laissez tiédir dans la casserole.

3. Écrasez les pruneaux dans la casserole et réduisez-les en une compote épaisse. Au moment de servir, répartissez la compote dans des coupes et dégustez tiède ou froid.

Notre conseil
Certains préfèrent laisser les pruneaux entiers ; à vous de décider comment vous les souhaitez.

Menu tonique-minceur

Salade de cresson aux œufs mollets

Pour 4 personnes :
4 œufs frais
1 belle botte de cresson
1 cuillerée à soupe de jus de citron
1/2 cuillerée à café de moutarde
3 cuillerées à soupe d'huile d'olive
*1/2 cuillerée à café
de cumin en poudre*
Sel, poivre

Préparation et cuisson : 7 mn.

1. Faites cuire les œufs pendant 6 minutes dans de l'eau bouillante. Pendant ce temps, lavez le cresson à grande eau et égouttez-le ; coupez les feuilles et essorez-les soigneusement, puis séchez-les sur du papier absorbant.

2. Préparez la sauce : dans un saladier, émulsionnez au fouet métallique le jus de citron avec la moutarde, l'huile d'olive et le cumin ; salez et poivrez très légèrement.

3. Rafraîchissez les œufs à l'eau froide et écalez-les.

4. Mettez le cresson dans le saladier et mélangez bien avec la sauce. Coupez délicatement les œufs dans le sens de la longueur et posez-les sur la salade, jaune au-dessus, en prenant garde qu'ils ne coulent pas.

Coques d'oursins aux œufs de saumon

Pour 4 personnes :
12 oursins bien pleins
12 œufs de caille
100 g d'œufs de saumon
4 branches de cerfeuil
Sel, poivre

Préparation et cuisson : 10 mn.

1. Demandez à votre poissonnier d'ouvrir les oursins en deux, ou faites-le vous-même avec des ciseaux bien aiguisés (portez des gants). Recueillez le jus et sortez délicatement les coraux. Mettez-les à égoutter dans une passoire au-dessus du jus, salez et poivrez légèrement. Nettoyez les coques, séchez-les et posez-les sur un plat allant au four.

2. Préchauffez le four à th. 7. Dans chaque demi-coque, cassez 1 œuf de caille ; répartissez le corail et le jus des oursins, puis enfournez pendant 5 minutes.

3. Au moment de servir, répartissez les œufs de saumon et décorez avec les feuilles de cerfeuil ciselées.

Poires au cassis

Pour 4 personnes :
4 belles poires
*4 cuillerées à soupe
de liqueur de cassis*
200 g de gelée de cassis

Préparation et cuisson : 13 mn.

1. Épluchez les poires, coupez-les en quatre, ôtez-en le cœur et les pépins.

2. Dans une casserole sur feu doux, faites fondre la gelée de cassis ; ajoutez-y la liqueur de cassis et les quartiers de poires. Laissez cuire environ 8 minutes, jusqu'à ce que les poires soient légèrement molles (il ne faut pas qu'elles s'écrasent). Éteignez le feu, couvrez et laissez tiédir.

3. Au moment de servir, sortez délicatement les quartiers de poires avec une écumoire et répartissez-les dans des coupes. Raclez le fond de la casserole et versez le jus sur les poires. Servez tiède ou froid.

Menu tonique-minceur

Salade de concombre à la crème de ciboulette

Pour 4 personnes :
1 concombre
1 cuillerée à soupe de gros sel
125 g de crème fraîche allégée
1 bouquet de ciboulette
1 cuillerée à soupe de vinaigre de xérès
1 cuillerée à soupe d'huile d'olive
1/2 poivron rouge
Sel, poivre

Préparation : 7 mn.

1. Pelez le concombre, ouvrez-le en quatre dans le sens de la longueur et épépinez-le. Coupez-le en petits dés, que vous mettez dans une passoire avec le gros sel. Laissez dégorger.

2. Dans un saladier, mélangez la crème fraîche avec le vinaigre. Ciselez la ciboulette, mais conservez 4 tiges. Mettez la ciboulette ciselée dans le saladier et émulsionnez avec l'huile d'olive ; salez et poivrez.

3. Lavez le poivron, essuyez-le, épépinez-le, ôtez les parties blanches et coupez-le en fines lanières.

4. Rincez les dés de concombre sous l'eau fraîche, épongez-les très soigneusement avec du papier absorbant et mettez-les dans le saladier. Mélangez bien. Décorez avec les tiges de ciboulette réservées et les lanières de poivron, puis placez au frais jusqu'au moment de servir.

Cabillaud en julienne de fenouil

Pour 4 personnes :
4 filets de cabillaud
1 œuf
1 cuillerée à soupe d'huile d'olive
1 cuillerée à soupe de graines de sésame
2 bulbes de fenouil
30 g de beurre
4 petites tomates
Sel, poivre

Préparation et cuisson : 13 mn.

1. Nettoyez le fenouil à l'eau fraîche, essuyez-le et ôtez les feuilles extérieures ; détaillez-le en très fines lanières après avoir ôté la partie centrale, trop dure.

2. Faites fondre le beurre dans une poêle et mettez-y à étuver à couvert les lanières de fenouil ; remuez de temps à autre. Faites chauffer une poêle antiadhésive sur feu moyen.

3. Dans une assiette, battez l'œuf entier avec l'huile, les graines de sésame, du sel et du poivre ; passez rapidement les tranches de cabillaud dans ce mélange, puis saisissez-les dans la poêle (si c'est nécessaire, ajoutez un peu d'huile ou de beurre). Préchauffez les assiettes.

4. Plongez rapidement les tomates dans de l'eau bouillante. Rafraîchissez-les à l'eau froide, puis pelez-les, épépinez-les et coupez-les en petits dés.

5. Au moment de servir, disposez sur les assiettes chaudes les tranches de cabillaud et entourez-les de julienne de fenouil. Parsemez de dés de tomate crue.

Granité au citron

Pour 4 personnes :
25 cl de jus de citron (soit 6 citrons environ)
150 g de sucre à l'aspartame
Petits fours secs (facultatif)

Préparation et cuisson : 10 mn (2 heures à l'avance).

1. Préparez un sirop en portant à ébullition 25 cl d'eau avec le sucre. Lorsque le sirop bout, laissez-le cuire encore 2 minutes. Éteignez le feu et plongez la casserole à mi-hauteur dans de l'eau contenant des glaçons, pour refroidir le sirop aussi vite que possible.

2. Versez le jus de citron dans le sirop en tournant rapidement avec une spatule en bois, puis transvasez la préparation dans un moule à glace, que vous mettez immédiatement au congélateur. Laissez prendre pendant 1 à 2 heures en remuant de temps à autre avec une fourchette, afin de donner à ce dessert son granité.

3. Lorsque le granité a pris, répartissez-le dans des verres à pied et replacez au congélateur jusqu'au moment de servir.

Notre conseil
Dégustez avec des petits fours secs.

Table des matières

Index

Achevé d'imprimer en Espagne par
Graficas Estella